U0309274
1580242803

中华人民共和国国家标准

针织工厂设计规范

Code for design of knitting factory

GB 51112-2015

主编部门：中国纺织工业联合会
批准部门：中华人民共和国住房和城乡建设部
施行日期：2016年2月1日

中国计划出版社

2015 北京

中华人民共和国国家标准
针织工厂设计规范
GB 51112-2015
☆
中国计划出版社出版
网址：www.jhpress.com
地址：北京市西城区木樨地北里甲 11 号国宏大厦 C 座 3 层
邮政编码：100038　电话：(010) 63906433（发行部）
新华书店北京发行所发行
北京市科星印刷有限责任公司印刷

850mm×1168mm　1/32　4 印张　99 千字
2016 年 1 月第 1 版　2016 年 1 月第 1 次印刷
☆
统一书号：1580242・803
定价：24.00 元

版权所有　侵权必究
侵权举报电话：(010) 63906404
如有印装质量问题，请寄本社出版部调换

中华人民共和国住房和城乡建设部公告

第817号

住房城乡建设部关于发布国家标准《针织工厂设计规范》的公告

现批准《针织工厂设计规范》为国家标准，编号为GB 51112—2015，自2016年2月1日起实施。其中，第7.7.4、9.5.1条为强制性条文，必须严格执行。

本规范由我部标准定额研究所组织中国计划出版社出版发行。

中华人民共和国住房和城乡建设部
2015年5月11日

前 言

本规范是根据住房城乡建设部《关于印发〈2011年工程建设标准规范制订、修订计划〉的通知》(建标〔2011〕17号)的要求,由中国纺织工业联合会、河北中纺工程设计有限公司会同有关单位共同编制而成。

本规范在编制过程中,编制组进行了广泛的调查研究,认真总结了我国针织工厂的建设经验,并吸收了国内外针织行业生产技术发展的新成果,广泛征求了全国设计、生产企业和高校等有关单位、部门的意见,最后经审查定稿。

本规范共分12章和9个附录,主要内容包括:总则、术语、工艺设计、总图运输、建筑、结构、给水排水、供暖通风与空调除尘、电气、动力、仓储、职业卫生等。

本规范中以黑体字标志的条文为强制性条文,必须严格执行。

本规范由住房城乡建设部负责管理和对强制性条文的解释,由中国纺织工业联合会负责日常管理,由河北中纺工程设计有限公司负责具体技术内容的解释。本规范在执行过程中,如有意见或建议,请寄送至河北中纺工程设计有限公司(地址:河北省石家庄市合作路328号,邮政编码:050051,E-mail:hbfzy8@126.com),以供今后修订时参考。

本规范主编单位、参编单位、主要起草人和主要审查人:
主 编 单 位:中国纺织工业联合会
　　　　　　　河北中纺工程设计有限公司
参 编 单 位:江苏省纺织工业设计研究院有限公司
　　　　　　　陕西省现代建筑设计研究院
　　　　　　　中国纺织勘察设计协会

主要起草人：张庆生　邓　军　崔俊巧　万立平　王紫琴
　　　　　　　幺士朋　李　惠　周乃然　宋　香　刘承彬
　　　　　　　周洪华　王朝蕾　朱艳芳　杨瑞英　郭东宝
　　　　　　　高仁华
主要审查人：张世平　吴玉华　王耀荣　王　智　林光华
　　　　　　　宋广礼　蔡　剑　吴鸿烈　范景昌　徐米甘
　　　　　　　常宝文

目 次

1 总 则 …………………………………………… (1)
2 术 语 …………………………………………… (2)
3 工艺设计 ………………………………………… (3)
　3.1 一般规定 …………………………………… (3)
　3.2 工艺流程 …………………………………… (3)
　3.3 设备选择与配置 …………………………… (3)
　3.4 设备布置 …………………………………… (4)
　3.5 生产辅助设施 ……………………………… (4)
　3.6 车间运输 …………………………………… (5)
4 总图运输 ………………………………………… (6)
　4.1 一般规定 …………………………………… (6)
　4.2 总平面布置 ………………………………… (6)
　4.3 竖向设计 …………………………………… (8)
　4.4 厂区管线 …………………………………… (8)
　4.5 厂区道路 …………………………………… (9)
　4.6 厂区绿化 …………………………………… (9)
　4.7 主要技术经济指标 ………………………… (9)
5 建 筑 …………………………………………… (11)
　5.1 一般规定 …………………………………… (11)
　5.2 生产厂房 …………………………………… (11)
　5.3 建筑防火、防腐 …………………………… (12)
　5.4 生产辅助用房 ……………………………… (12)
　5.5 主要建筑构造 ……………………………… (13)
6 结 构 …………………………………………… (15)

6.1　一般规定 ……………………………………………（15）
　6.2　结构布置及选型 ……………………………………（15）
　6.3　设计荷载 ……………………………………………（16）
　6.4　结构计算 ……………………………………………（17）
　6.5　抗震构造设计要求 …………………………………（17）
　6.6　抗震构造措施 ………………………………………（18）
　6.7　地基基础 ……………………………………………（18）
7　给水排水 …………………………………………………（19）
　7.1　一般规定 ……………………………………………（19）
　7.2　水源与水处理 ………………………………………（19）
　7.3　用水量、水压和水质 ………………………………（20）
　7.4　给水系统和管道布置 ………………………………（20）
　7.5　消防给水和灭火设施 ………………………………（21）
　7.6　排水系统和管道布置 ………………………………（22）
　7.7　废水处理与回用 ……………………………………（23）
8　供暖通风与空调除尘 ……………………………………（24）
　8.1　一般规定 ……………………………………………（24）
　8.2　供暖 …………………………………………………（24）
　8.3　通风 …………………………………………………（25）
　8.4　空调 …………………………………………………（25）
　8.5　除尘 …………………………………………………（26）
9　电　　气 …………………………………………………（28）
　9.1　一般规定 ……………………………………………（28）
　9.2　供配电系统 …………………………………………（28）
　9.3　照明 …………………………………………………（29）
　9.4　防雷与接地 …………………………………………（31）
　9.5　火灾自动报警 ………………………………………（32）
10　动　　力 ………………………………………………（33）
　10.1　一般规定 ……………………………………………（33）

10.2 蒸汽供热系统 ………………………………………（33）
10.3 蒸汽凝结水回收和利用 ……………………………（34）
10.4 导热油供热系统 ……………………………………（34）
10.5 燃气 …………………………………………………（34）
10.6 压缩空气 ……………………………………………（34）
10.7 制冷 …………………………………………………（35）
10.8 管道敷设 ……………………………………………（35）
11 仓　　储 ………………………………………………（37）
11.1 一般规定 ……………………………………………（37）
11.2 原料库、半成品库、成品库 …………………………（37）
11.3 染化料库 ……………………………………………（38）
11.4 机物料库 ……………………………………………（38）
11.5 危险品库 ……………………………………………（38）
11.6 其他仓库 ……………………………………………（38）
12 职业卫生 ………………………………………………（39）
附录 A　纬编生产工艺流程 ………………………………（40）
附录 B　经编生产工艺流程 ………………………………（49）
附录 C　羊毛衫生产工艺流程 ……………………………（52）
附录 D　织袜和无缝内衣生产工艺流程 …………………（53）
附录 E　主要工艺设备参数 ………………………………（55）
附录 F　针织生产各工序的损耗率 ………………………（65）
附录 G　主要工艺设备排列尺寸 …………………………（67）
附录 H　中心试化验室仪器设备配置 ……………………（70）
附录 J　生产车间温湿度参数 ……………………………（72）
本规范用词说明 ……………………………………………（73）
引用标准名录 ………………………………………………（74）
附:条文说明 ………………………………………………（77）

· 3 ·

Contents

1 General provisions ··· (1)
2 Terms ·· (2)
3 Process design ··· (3)
   3.1 General requirements ····································· (3)
   3.2 Process flow ·· (3)
   3.3 Selection and configuration of equipment ················ (3)
   3.4 Layout of equipment ······································· (4)
   3.5 Auxiliary production facility ····························· (4)
   3.6 Plant transportation ······································· (5)
4 General layout and transportation ······························ (6)
   4.1 General requirements ····································· (6)
   4.2 General arrangement ······································ (6)
   4.3 Vertical design ··· (8)
   4.4 Pipelines of mill site ····································· (8)
   4.5 Roads inside mill site ···································· (9)
   4.6 Greening of mill site ····································· (9)
   4.7 Main technical and economical indices ·················· (9)
5 Architecture ·· (11)
   5.1 General requirements ····································· (11)
   5.2 Production building ······································· (11)
   5.3 Fire protection, corrosion prevention of building ······ (12)
   5.4 Production auxiliary rooms ······························ (12)
   5.5 Main architectural conformation ························ (13)
6 Structure ··· (15)

6.1	General requirements	(15)
6.2	Structural layout and type	(15)
6.3	Design load	(16)
6.4	Structural calculation	(17)
6.5	Requirements of aseismic structure design	(17)
6.6	Details of aseismic structure design	(18)
6.7	Ground and foundation	(18)

7 Water supply and drainage ………………………… (19)

7.1	General requirements	(19)
7.2	Water source and treatment	(19)
7.3	Water quantity, water pressure and water quality	(20)
7.4	Water-supply system and piping layout	(20)
7.5	Fire water supply system and fire unit	(21)
7.6	Drainage system and piping layout	(22)
7.7	Waste water treatment and reuse	(23)

8 Heating, ventilation, air conditioning and aspirating ………………………………………… (24)

8.1	General requirements	(24)
8.2	Heating	(24)
8.3	Ventilation	(25)
8.4	Air conditioning	(25)
8.5	Aspirating	(26)

9 Electricity ………………………………………… (28)

9.1	General requirements	(28)
9.2	Power supply and distribution system	(28)
9.3	Lighting	(29)
9.4	Lightning protection and earthing	(31)
9.5	Automatic fire alarm	(32)

10 Power ……………………………………………… (33)

10.1	General requirements	(33)
10.2	Steam heating system	(33)
10.3	Recovery and utilization of condensation water	(34)
10.4	Heat-conducting oil heating system	(34)
10.5	Gas	(34)
10.6	Compressed air	(34)
10.7	Refrigeration	(35)
10.8	Pipe laying	(35)
11	Warehouse	(37)
11.1	General requirements	(37)
11.2	Warehouse for raw material, semi-product and finish product	(37)
11.3	Warehouse for dyes	(38)
11.4	Warehouse for spare parts	(38)
11.5	Warehouse for dangerous goods	(38)
11.6	Warehouse for other goods	(38)
12	Occupational health	(39)
Appendix A	Weft knitting production process flow	(40)
Appendix B	Warp knitting production process flow	(49)
Appendix C	Woolen sweater production process flow	(52)
Appendix D	Hose and seamless underwear production process flow	(53)
Appendix E	Main process equipment parameters	(55)
Appendix F	Knitting production exhaust rate of each working procedure	(65)
Appendix G	Arrangement size of main process equipment	(67)
Appendix H	Central laboratory equipment	(70)

Appendix J Temperature and humidity in
            workshops .... (72)
Explanation of wording in this code .... (73)
List of quoted standards .... (74)
Addition:Explanation of provisions .... (77)

1 总　　则

1.0.1 为了统一针织工厂建设工程设计的技术要求，做到技术先进、经济合理、安全适用、节能环保，制定本规范。
1.0.2 本规范适用于针织工厂及独立的针织品生产车间的新建、扩建和改建工程的设计。
1.0.3 针织工厂的设计除应符合本规范外，尚应符合国家现行有关标准的规定。

2 术 语

2.0.1 针织 knitting
用织针等成圈机件使纱线形成线圈,经串套连接成织物的工艺过程。

2.0.2 纬编 weft knitting
将纱线由纬向喂入针织机的工作织针上,使其顺序地弯曲成圈并相互串套而形成织物的编织方法。编织时,纱线走向与织针长度方向基本垂直,每个线圈横列由一根或几根纱线形成。

2.0.3 经编 warp knitting
由一组或几组经向平行排列的纱线同时喂入工作织针编织成圈,由线圈纵行连接而形成织物的编织方法。编织时,纱线走向与织针长度方向基本一致,每根纱线在一个线圈横列上只形成一个线圈或两个线圈。

2.0.4 横机 flat knitting machine
三角装置做往复运动的平型针床舌针纬编针织机的总称,属于针织机械的一种,一般指横编织机,即采用横向编织针床进行编织的机器。

3 工艺设计

3.1 一般规定

3.1.1 工艺设计应包括纬编、经编、羊毛衫、织袜和无缝内衣四部分的编织、染整、成衣以及生产辅助设施设计。

3.1.2 工艺流程和主机设备应根据产品方案、质量要求、生产规模、原料特性等因素，经技术经济比较后确定。

3.1.3 车间内工艺设备布置应根据工艺流程、设备选型及与辅助设施的关系等因素综合确定，并应满足施工、安装、操作、维修、运输、安全生产的需要。

3.1.4 公用工程的规格、容量及辅助设施配置应满足工艺生产要求。

3.2 工艺流程

3.2.1 工艺流程应选择先进、成熟、高效、便捷、连续化和自动化的工艺技术，应满足编织、染整、成衣各工序之间的配套要求。

3.2.2 工艺流程可按本规范附录 A、附录 B、附录 C 和附录 D 执行，也可根据产品的种类、特性和生产条件进行调整。

3.3 设备选择与配置

3.3.1 工艺设备应选用符合国家现行标准的工艺主、辅机设备和装置。

3.3.2 所选设备应满足加工产品的技术要求，并应符合技术先进、性能可靠、节约能源、操作简单和维修方便的原则。

3.3.3 设备选型宜采用智能型、大卷装、定长卷绕和短流程的工艺及辅助设备。

3.3.4 所选染整设备应满足冷却水、冷凝水、余热回收利用的要求,间歇式染色设备应满足浴比不大于1:8的要求。

3.3.5 设备配台计算应符合下列规定:

　　1 应以产品方案和生产规模为依据,根据设备工艺参数,通过计算确定工艺设备的配台数量;

　　2 设备配台应保证连续生产、产量平衡和品种调整,染整工序设备加工能力宜超过编织工序设备生产能力的30%;

　　3 应依据各工序消耗定额、停台率、生产效率等参数,配置设备台数;

　　4 主要工艺设备参数可按本规范附录E的数值选用,也可根据产品、技术进行调整;

　　5 生产工序损耗率可按本规范附录F的数值选用。

3.4 设备布置

3.4.1 工艺设备应根据工艺流程要求布置,并应满足操作方便、排列整齐、便于维修、运输顺畅、避免往返交叉运输的要求。

3.4.2 设备与设备、设备与建筑物之间的距离应满足操作、安装维修、运输、半制品堆置、架空管线和地下沟道设置等要求。

3.4.3 同类型设备或操作上有关联的设备宜布置在一起。

3.4.4 温湿度要求不同的生产车间和工序应分开或隔开布置。

3.4.5 经编机车头和车尾的间距应满足织花接长架的长度要求。

3.4.6 染整工序中的干、湿设备宜隔开或分开布置。拉毛、磨毛、剪毛等设备宜与其他设备隔开布置,并应设滤尘装置。

3.4.7 向外排湿热气体的设备宜靠近车间外墙布置。

3.4.8 在多层厂房中,重量大、振动大、基础复杂的设备宜布置在底层。

3.4.9 工艺设备排列间距可按本规范附录G确定。

3.5 生产辅助设施

3.5.1 编织、染整、成衣各车间应根据生产需要设置相应的辅助设施,应包括保全保养室、原纱堆放室、坯布堆放室、机物料室、染化料贮存室、染化料调配室、辅料室、试化验室、调浆室、制网室、铸针室、碱回收站。

3.5.2 车间附房应统一安排,各辅助生产设施宜靠近服务对象。

3.5.3 针织工厂宜设置车间试化验室和中心试化验室,并宜配置相应的仪器设备,中心试化验室仪器设备配置可按本规范附录 H 确定。

3.6 车间运输

3.6.1 车间内运输工具应根据不同工序运输产品的特点确定,并应满足安全、经济、适用的要求。

3.6.2 经编车间吊经轴和染整车间的起吊设备,应满足吊重、吊距和安全可靠的要求。

3.6.3 多层厂房内应设置垂直运输的电梯,载重量和轿厢尺寸应满足生产需要,数量不宜少于 2 台。

4 总图运输

4.1 一般规定

4.1.1 总图布置应符合当地的城镇总体规划要求,应满足生产工艺和运输需要,并应符合国家节约土地、环境保护、安全、卫生、防火的规定。

4.1.2 总图布置应根据地区自然条件和设计基础资料,经过多方案技术经济比较后择优确定。

4.1.3 总图布置应与厂外的城镇公共服务设施、市政配套设施相结合,并应优选总图布置方案。

4.2 总平面布置

4.2.1 总平面布置应符合下列规定:

1 总平面布置应根据工艺流程、自然条件、厂外动力配套条件、周围道路等因素,确定厂区建(构)筑物、道路运输、工程管线、绿化等平面位置和竖向标高;

2 总平面布置应根据生产性质及厂区地形划分功能分区,辅助和附属设施宜靠近服务车间或场所,动力设施宜靠近负荷中心;

3 在符合生产工艺要求的条件下,建(构)筑物宜合并设置,组成单层或多层联合厂房;

4 行政办公及生活服务设施宜集中设置;

5 交通运输应使生产流程顺畅,原料、物料的运输路线短捷、方便,且宜避免货流与人流交叉干扰;

6 分期建设的项目,首期建设项目的布置应集中紧凑,统一规划,为后期工程和生产创造良好的条件;

7 总平面布置除应符合本规定外,尚应符合现行国家标准《纺织工程设计防火规范》GB 50565、《工业企业总平面设计规范》GB 50187、《纺织工业企业职业安全卫生设计规范》GB 50477、《纺织工业企业环境保护设计规范》GB 50425 和《纺织业卫生防护距离 第 1 部分：棉、化纤纺织及印染精加工业》GB 18080.1 的有关规定。

4.2.2 漂练、染整厂房平面布置宜符合下列规定：

 1 当采用锯齿厂房时，在严寒及寒冷地区宜选用锯齿朝南的方位，在夏热冬暖地区宜选用锯齿朝北的方位；

 2 当采用气楼式厂房时，气楼宜选用南北朝向开窗；

 3 附房宜设在厂房的两个端部；

 4 采用 L 形、U 形平面的厂房，开口部分宜朝向夏季主导风向，宜为 0°～45°。

4.2.3 仓库布置应符合下列规定：

 1 原料库宜临近织造车间和染色车间布置；

 2 成品库宜临近后整理车间布置，原料库和成品库可合并集中布置；

 3 机物料库、染化料库应独立布置，并应临近服务车间；

 4 危险品库、燃料储罐等的布置应位于厂区全年最小频率风向的上风侧，并应符合现行国家标准《建筑设计防火规范》GB 50016 和《工业企业总平面设计规范》GB 50187 的有关规定。

4.2.4 动力区建（构）筑物布置应符合下列规定：

 1 锅炉房应布置在厂区全年最小频率风向的上风侧，并宜靠近热负荷中心；

 2 高压配电站宜布置在厂区外线进线方向，车间变配电室宜设在附房内，多层厂房宜在底层布置；

 3 空压站、制冷站应靠近负荷中心；

 4 给水建（构）筑物宜集中布置；

 5 污水处理厂（站）应布置在厂区夏季最小频率风向的上风侧，宜靠近产生污水量大的厂房，并应与办公、生活服务区保持卫生防护距离，总体布置应符合现行国家标准《纺织工业企业环境保护设计规范》GB 50425 的有关规定；

  6 机修、电修等辅助生产设施宜集中布置。

4.2.5 行政办公及生活服务设施布置应符合下列规定：

  1 行政办公及对外服务设施应布置在厂前区，且靠近主要人流出入口，并宜位于厂区全年最小频率风向的下风侧，厂前区设施布置应满足城镇规划、交通运输的要求；

  2 生活区和行政办公区应相互独立，生活区宜设员工活动场所。

4.3 竖向设计

4.3.1 厂区竖向设计应根据生产工艺、道路交通运输、土石方工程、防洪要求及综合管线等因素，并应结合地形和地质条件确定各建(构)筑物的场地标高。

4.3.2 厂区的防洪设计应符合当地城镇的防洪标准。

4.3.3 竖向设计宜采用平坡式。当自然地面高差较大且地形复杂时，也可采用阶梯式竖向布置，台阶的划分应满足厂区的功能划分和交通运输的需要。

4.3.4 厂区内地面标高应与厂外道路标高相协调。厂区入口的路面标高宜大于厂外路面标高。

4.3.5 厂房及辅助建筑物室内地坪标高应高出室外场地设计标高，且不应小于 0.15m，有运输要求的建筑物室内地坪标高应与运输线路标高相协调。

4.4 厂区管线

4.4.1 厂区管线可采取直埋、管沟、架空敷设方式。应根据管线介质性质、管线材质、规格，结合场地条件、地区气候地理特征、生产工艺、安全生产、交通运输、施工检修等因素，综合择优确定。

4.4.2 管线布置应与道路或建(构)筑物平行，干管应布置在与其相连接的支管较多处。管线应短捷顺直，并应减少交叉。

4.4.3 地下管线、管沟不得布置在建(构)筑物的基础压力影响范围内,并不宜平行敷设在道路下面。

4.4.4 管线综合布置除应符合本规定外,尚应符合现行国家标准《工业企业总平面设计规范》GB 50187 的有关规定。

4.5 厂区道路

4.5.1 厂区道路布置应满足生产、运输、安装检修、消防及绿化等要求,并应与场外道路连接方便、短捷。

4.5.2 厂区道路应与厂内建筑平行或垂直,宜正交环状布置。

4.5.3 装卸区应留有车辆停放和调车用地,并宜设置回车场。

4.5.4 道路标高和坡度应与厂区竖向设计相协调,应满足运输要求,并应保证场地雨水能迅速排出。

4.5.5 厂区出入口应根据生产规模、规划要求等因素确定,且数量不应少于 2 个。人流出入口与货流出入口宜分开设置。

4.5.6 厂区道路宜采用城市型道路,道路等级应综合工厂规模、道路类别、汽车载重量和交通流量等因素确定。

4.5.7 厂区道路除应符合本规定外,尚应符合现行国家标准《厂矿道路设计规范》GBJ22、《工业企业总平面设计规范》GB 50187 和《纺织工程设计防火规范》GB 50565 的有关规定。

4.6 厂区绿化

4.6.1 厂区绿化设计应根据针织厂特点及环境保护、安全、卫生、防火、采光、厂容景观等要求确定。

4.6.2 厂区绿化应符合现行国家标准《工业企业总平面设计规范》GB 50187 和《纺织工业企业环境保护设计规范》GB 50425 的有关规定。

4.7 主要技术经济指标

4.7.1 总图设计宜列出下列主要技术经济指标:

1 厂区用地面积(m^2);
2 建(构)筑物占地面积(m^2);
3 总建筑面积(m^2);
4 建筑系数(%);
5 容积率;
6 道路及广场用地面积(m^2);
7 绿化用地面积(m^2);
8 绿地率(%);
9 土石方工程量(m^3);
10 行政办公及生活服务设施用地面积(m^2)及其所占比例(%)。

4.7.2 主要技术经济指标的计算方法,应符合现行国家标准《工业企业总平面设计规范》GB 50187 和《建筑工程建筑面积计算规范》GB/T 50353 的有关规定。

5 建 筑

5.1 一般规定

5.1.1 建筑设计应满足生产工艺要求,保证生产厂房有符合操作、检修要求的面积和空间。应采用技术先进、安全适用、经济合理、节能、环保、成熟可靠的建筑技术。

5.1.2 生产厂房设计应根据当地的气候特点,满足采光、通风、排汽、保温、隔热、防结露等要求,对有腐蚀性介质的部位,应采取防腐蚀措施。

5.2 生产厂房

5.2.1 厂房建筑形式应综合建设条件、地形地质、气象、地震设防和工艺设备等因素,经技术经济比较后确定,并宜符合下列规定：

  1 编织厂房可采用单层、多层、无窗或其他形式的厂房；

  2 染整厂房可采用单层锯齿厂房、单层气楼式厂房、气楼带排气井厂房或设排气井多层厂房等；

  3 成衣、织袜、羊毛衫厂房宜采用多层厂房。

5.2.2 厂房的建筑平面和内部空间应满足生产工艺要求,并应做到流程顺畅、操作方便、有利设备安装和管线布置。

5.2.3 染整厂房平面宜避免四周设置附房,对散发大量湿热空气的车间外墙,不宜设附房,必须设置时,可在车间和附房之间设置内天井。

5.2.4 厂房高度宜符合下列规定：

  1 纬编厂房净高宜为 4.0m～5.0m,经编厂房净高宜为 6.0m～8.0m。

  2 染整厂房锯齿形厂房当设备平行锯齿天窗排列时,风道大梁或现浇单梁梁底高度宜为 5.0m～5.5m；垂直锯齿天窗排列时宜为6.0m～7.0m；气楼式厂房檐口高度不宜小于7.5m。多层厂房底层层高宜为7.0m～9.0m，二层宜为6.0m～8.0m，三层宜为5.0m～7.0m。

3 成衣、织袜、羊毛衫厂房净高宜为3.6m～4.5m。

5.2.5 生产厂房门的位置和大小应满足工艺要求，当不能满足设备安装需要时，应预留安装洞。厂房外门应采取避免室外气流影响车间温湿度及机台正常运行的措施。

5.3 建筑防火、防腐

5.3.1 生产车间的火灾危险性类别和耐火等级应符合下列规定：

1 火灾危险性应符合现行国家标准《纺织工程设计防火规范》GB 50565 的有关规定；

2 编织车间、成衣车间、织袜车间、羊毛衫车间、印花车间、整理车间、整装车间、烧毛间等干加工车间火灾危险性应为丙类；

3 漂练车间、染色车间等湿加工车间火灾危险性应为丁类；

4 生产厂房的耐火等级不应低于二级。

5.3.2 拉毛、磨毛、剪毛车间的除尘室应靠外墙布置。

5.3.3 建筑防火设计应符合现行国家标准《纺织工程设计防火规范》GB 50565 的有关规定。

5.3.4 生产车间的防腐蚀设计应符合下列规定：

1 染整厂房腐蚀性介质的腐蚀性等级应符合现行国家标准《工业建筑防腐蚀设计规范》GB 50046 的有关规定；

2 厂房平面布置宜将有腐蚀性介质作用与无腐蚀性介质作用的设备隔开，湿、干车间隔开。

5.4 生产辅助用房

5.4.1 针织工厂的生产辅助用房宜与厂房结合设置。根据工艺要求和生产需要可设置下列生产辅助用房：

1 酸碱液调配室、碱回收站、起毛针辊磨砺室、铸针室、起绒磨毛除尘室、染化料贮存室、染化料调配室、提花机纹板室、印花制版室、机物料室；

   2 保全保养室、压缩空气站、空调室、变配电室、热力站、试化验室。

5.4.2 碱回收站可设在染整车间的附房内，布置在丝光机附近并靠外墙。建筑设计时应根据碱液浓度进行防腐处理。

5.4.3 染化料调配室应靠近染色车间，并应设通风排气装置。室内地面、墙裙应有防酸碱腐蚀的措施。

5.4.4 压缩空气站宜布置在生产车间附房内，位置应靠近用气负荷中心，建筑应采取隔声措施，并应符合现行国家标准《工业企业厂界环境噪声排放标准》GB 12348 及《工业企业噪声控制设计规范》GB/T 50087 的有关规定。

5.4.5 空调室应考虑方便风道布置并靠近负荷中心，空调室的进风部位不宜与厕所及散发其他不良气体的房间相邻。钢筋混凝土结构的空调洗涤室水池周围墙壁和底部均应采取防水措施。

5.4.6 变配电所的上层不应布置有水、汽的房间。配电室应采取防止水、潮气及小动物侵入室内的措施。

5.4.7 热力站宜设置在生产车间附房内，位置宜靠近供热负荷中心。室内应有通风设施，地面应有防止积水的措施，门应向外开。

5.4.8 试化验室应设置通风、排气装置，并应设洗涤盆。中心试化验室应根据需要设置相应的房间，并宜设置恒温恒湿室。

5.5 主要建筑构造

5.5.1 生产厂房屋面设计应符合下列规定：

   1 屋面类型应根据建筑结构形式、建厂地区气候条件、屋面材料、天窗采光和使用要求确定；

   2 染整厂房锯齿屋面坡度不宜小于 1∶2.5，锯齿天沟宜采用外排水，锯齿屋面天沟排水坡度不应小于 0.5%，气楼式屋面坡度不宜小于 1∶2.5，轻钢结构厂房用于干加工车间的屋面坡度不宜小于5％；

　　3 厂房屋面构造应设置防止内表面结露的隔汽层等构造；

　　4 腐蚀性气体排放口周围的屋面应选用耐腐蚀材料或采取相应的防护措施。

5.5.2 生产厂房的墙体应符合下列规定：

　　1 生产厂房墙体应满足建筑热工设计要求；

　　2 框架填充墙应采用非黏土类砌块或轻质板材；

　　3 内墙面应平整光洁，有腐蚀性气体或相对湿度较大的室内墙面应采用水泥砂浆抹面。

5.5.3 地面和楼面设计应符合下列规定：

　　1 练漂、染色、印花车间地面应设坡向排水沟或地漏，排水坡度不应小于0.5％，地面应有防滑措施；

　　2 有腐蚀性介质的地面和设备基础防护，应符合现行国家标准《工业建筑防腐蚀设计规范》GB 50046的有关规定；

　　3 整装车间地面宜采用水磨石或耐磨面层。

5.5.4 采光窗及天窗设计应符合下列规定：

　　1 采光窗及天窗的传热系数应根据地区气候条件由热工计算确定；

　　2 染整厂房宜选用塑钢窗、玻璃钢窗和经防腐处理的铝合金窗；

　　3 锯齿天窗应设有部分开启方便的窗扇，采用电动开窗器时，应有防潮、防腐蚀的措施；

　　4 轻钢结构厂房屋盖上的采光窗应采用优质树脂、坡纤复合材料等透光性好、强度高的轻质材料制作。

5.5.5 染整厂房的排气井构造应力求简单、施工维修方便。井筒内壁应平整光滑、耐腐蚀，并应有防止雨水侵入车间和凝结水下滴的措施。沿锯齿或气楼屋脊设置的通长排气井筒应有隔板分隔，隔板间距不宜大于3.0m。排气井材质宜采用无机玻璃钢制作。

6 结 构

6.1 一 般 规 定

6.1.1 结构方案设计及结构选型应采用性能可靠的新材料、新技术,在满足生产工艺的同时应进行多方案比较优化。

6.1.2 本章适用于抗震设防烈度为7度及以下的单层钢筋混凝土锯齿排架结构和9度及以下的单层门式刚架结构、单层钢筋混凝土框排架结构及多层框架结构的设计。

6.2 结构布置及选型

6.2.1 厂房平面布置及柱网尺寸应根据工艺设备排列及场地自然条件等因素综合确定。

6.2.2 厂房高度除应满足采光与通风要求外,还应满足工艺设备高度、设备安装、检修和操作所需空间,以及各种管道吊装后与设备的安全距离要求。

6.2.3 厂房结构形式可采用轻钢门式刚架,也可采用单层钢筋混凝土框排架结构、单多层钢筋混凝土框架结构及单层钢筋混凝土锯齿排架结构。

6.2.4 染整车间采用带排气井或带气楼的钢筋混凝土结构形式时,应符合下列规定:

    1 带排气功能的单层钢筋混凝土排架结构,跨度宜采用12.0m～18.0m,柱距宜用6.0m。附房可与车间主体结构脱开,并应设伸缩缝或沉降缝、防震缝。风道可采用吊挂风道。

    2 锯齿排架结构跨度宜采用12.0m～15.0m,风道大梁柱距宜采用8.0m～13.5m,屋面板宜采用板底平整的倒槽板或预应力混凝土圆孔板。

6.2.5 其他车间可选用下列结构形式：

1 单层轻钢门式刚架结构宜采用多跨刚架双坡屋面，刚架中间柱与钢梁的连接可采用铰接，柱脚可采用铰接支承。附房可与车间主体结构脱开，并应设伸缩缝或沉降缝、防震缝。风道可采用吊挂风道。

2 单层钢筋混凝土排架结构可按本规范第 6.2.4 条第 1 款执行。

3 单层钢筋混凝土框架结构可采用现浇钢筋混凝土的梁和柱，附房可采用现浇钢筋混凝土结构与主车间结构连成一体。风道可采用吊挂风道。

4 多层钢筋混凝土框架结构可采用现浇钢筋混凝土的梁和柱，附房可采用现浇钢筋混凝土结构与车间结构连成一体。风道可采用梁侧风道或吊挂风道。

6.2.6 单层钢筋混凝土锯齿形厂房跨度方向可不设置伸缩缝，柱距方向伸缩缝间距不宜超过 100m。

6.2.7 单多层钢筋混凝土结构主厂房与钢筋混凝土结构的附房连成一体时，伸缩缝间距限值的要求应符合现行国家标准《混凝土结构设计规范》GB 50010 的有关规定。当附房采用砌体结构时，主体结构与附房应脱开。

6.3 设 计 荷 载

6.3.1 结构自重、施工或检修集中荷载、风荷载、屋面雪荷载、不上人屋面均布活荷载应符合现行国家标准《建筑结构荷载规范》GB 50009 的有关规定，悬挂荷载按实际情况确定。

6.3.2 多层厂房的楼面在生产使用或安装检修时，由设备及运输等产生的局部荷载，应按实际重量情况确定，也可采用等效均布活荷载。楼面等效均布活荷载取值的确定应符合现行国家标准《建筑结构荷载规范》GB 50009 的有关规定，当差别较大时，应划分区域分别确定。

6.3.3 楼面等效均布活荷载应包括按设备实际荷载及在生产运行中发生的产品重量折算的等效荷载和无设备区域的操作荷载之和,无设备区域的操作荷载可取 $2.0kN/m^2$。

6.3.4 楼层活荷载按工艺设备排列要求确定时,应符合现行国家标准《建筑结构荷载规范》GB 50009 的有关规定。

6.3.5 吊挂风道荷载应按实际重量计算确定。

6.3.6 总风道底板活荷载宜取 $2.0kN/m^2$。施工过程中发生的堆载应按实际重量确定。

6.3.7 沟道盖板上直接作用有设备荷载或有运输工具通过时,应按实际重量确定,当缺资料时,沟道盖板的计算活荷载标准值可取 $10kN/m^2$。

6.4 结构计算

6.4.1 单层轻钢门式刚架结构及单多层钢筋混凝土框排架结构计算,应按最不利荷载组合确定。

6.4.2 三角架承重多跨双梁锯齿排架结构计算宜采用计算机进行内力分析,并应符合下列计算规定:

 1 三角架承重双梁锯齿排架应进行使用阶段计算,并应验算中柱在吊装阶段的内力和配筋。吊装阶段计算荷载应计入各构件自重,可不计屋面保温隔热、粉刷等自重影响。

 2 抗震设防地区的内力计算和内力组合应符合现行国家标准《建筑抗震设计规范》GB 50011 的有关规定。

6.5 抗震构造设计要求

6.5.1 单层刚架结构的抗震构造要求应符合现行国家标准《建筑抗震设计规范》GB 50011 和《钢结构设计规范》GB 50017 的有关规定。

6.5.2 钢筋混凝土结构的抗震构造要求应符合现行国家标准《建筑抗震设计规范》GB 50011 和《混凝土结构设计规范》GB 50010

的有关规定。

6.5.3 附房宜采用框架结构,抗震措施应符合现行国家标准《建筑抗震设计规范》GB 50011的有关规定。

6.6 抗震构造措施

6.6.1 钢结构厂房的围护墙,当抗震设防烈度不高于7度时,可采用轻型钢墙板,也可采用与柱柔性连接的砌体;当抗震设防烈度为8度及以上时,应采用轻型钢墙板或轻质墙板。

6.6.2 钢筋混凝土结构厂房的非承重墙体宜采用轻质墙体材料。

6.6.3 锯齿形排架结构厂房应保证厂房结构的稳定,主要节点连接构造可按现行国家标准《印染工厂设计规范》GB 50426的规定执行。

6.7 地 基 基 础

6.7.1 地基处理应综合场地地质、水文地质、冻土深度、地下沟道管线、相邻建(构)筑物影响和基础荷重等因素,并应结合地方常用做法确定。

6.7.2 厂房的基础设计应根据建厂场地地质勘察报告进行多方案比较确定。

6.7.3 厂房内的设备基础、管沟等宜与厂房柱子基础分开,厂房柱基的埋置深度应考虑邻近建筑物基础、设备基础、地下沟道、管线的影响。

6.7.4 当地下沟道埋置深度大于建筑基础时,地下沟道与建筑基础之间应留安全距离,具体数值应根据建筑荷载、基础型式和土质情况确定。

7 给 水 排 水

7.1 一 般 规 定

7.1.1 给水排水设计应贯彻节约水资源、一水多用的原则,满足生产、生活和消防要求,并应做到技术先进、经济合理、安全可靠和保护环境。

7.1.2 给水工程设计应结合工厂所在地的水源状况和生产工艺对水质的要求,宜采取分质给水。

7.1.3 给水排水管道不应穿越变配电室、电梯机房等遇水会损毁设备和引发事故的房间。

7.1.4 厂区排水系统应按质分类、清污分流、统一规划。

7.1.5 厂区宜采取雨水收集和废水处理回用措施。

7.1.6 厂址位于湿陷性黄土地区时,除应执行本规范外,尚应符合现行国家标准《湿陷性黄土地区建筑规范》GB 50025 的规定。

7.2 水源与水处理

7.2.1 水源选择应根据当地水源、城镇与工业企业规划、供水规模、水质及水压要求等条件,通过技术经济比较后确定。

7.2.2 水源选择应符合下列规定:

  1 水源水量应稳定可靠,水质应满足生产、生活等要求;

  2 当采用城镇自来水为水源,不能保证水量水压时,应设水池、水塔或叠压供水设施;

  3 当以地表水为水源,且消防用水利用地表水源时,地表水枯水流量的年保证率宜为 90%～97%。

7.2.3 水源水质达不到生产、生活要求时,应采取水处理措施。水处理设施和工艺应能满足用水量和水质要求。

7.3 用水量、水压和水质

7.3.1 生产、生活用水量应符合下列规定：

1 生产用水量、软化水用量应根据生产工序确定；

2 空调补水量应按空调系统的循环水量确定；

3 车间工人和管理人员生活用水量定额可取 30L/(人·班)～50L/(人·班)，小时变化系数宜取 2.5～1.5，用水时间应与生产时间相同，车间淋浴用水定额宜采用 40L/(人·班)，淋浴延续时间宜取 1h；

4 居住区生活、绿化等用水量应符合现行国家标准《建筑给水排水设计规范》GB 50015 的有关规定；

5 未预见用水量和管网漏失水量可按生产、生活最高日用水量(新水量)之和的 10%～15% 计算；

6 建筑物室内、外消防用水量，供水延续时间，供水水压，应符合现行国家标准《纺织工程设计防火规范》GB 50565 的有关规定；

7 设有自备给水净化站时，净化站自用水量宜按其设计能力的 5%～10% 确定。

7.3.2 厂区给水水压应根据车间布置和生产设备及消防要求通过计算确定。单层厂房车间进口压力宜大于 0.2MPa，当生产、生活、消防合并管网时，压力不宜小于 0.35MPa。部分设备水压要求较高时宜采取局部加压措施。

7.3.3 工厂用水水质应符合下列规定：

1 生产工艺用水水质应根据各生产工序的要求确定；

2 生活用水水质应符合现行国家标准《生活饮用水卫生标准》GB 5749 的有关规定；

3 其他杂用水水质应符合国家现行有关标准的要求。

7.4 给水系统和管道布置

7.4.1 给水系统应符合下列规定：

1 给水系统设置应综合水源和生产、生活、空调、消防用水量及其水质、水压等要求确定；

2 以城镇自来水为水源时，厂区总进水口应设置倒流防止器和计量装置，各主要用水点应设计量装置，在水量水压满足使用要求的条件下，生产、生活和消防可合并室外管网；

3 当多种水源可选择时，可采用分水质给水系统；

4 热水供水系统应根据热源情况单独设置。

7.4.2 给水管布置应符合下列规定：

1 厂区给水与消防水合设的给水管网应呈环状布置，并应用阀门分成若干独立段，向环状管网输水的干管不应少于2条；

2 单独设置的生产、生活和空调给水管网可为枝状布置；

3 室内给水管宜采用明管沿内墙架空敷设，并应采取防结露措施；

4 室外架空敷设的给水管应根据当地气象条件采取防冻措施；

5 给水管道穿越防火墙、变形缝等部位时，应采取防护措施。

7.4.3 埋地给水管应具有耐腐蚀性和能承受地面荷载的能力，可采用塑料给水管、带衬里的铸铁给水管或内外涂塑复合钢管；生产、空调、消防给水管可采用经防腐处理的焊接钢管、热镀锌钢管或内涂塑钢管。自动喷水灭火系统应采用内外壁热镀锌钢管。

7.4.4 室内生活给水管道应选用耐腐蚀和安装连接方便可靠的管材，可采用塑料给水管、塑料和金属复合管及有防腐性能的金属管。

7.5 消防给水和灭火设施

7.5.1 消防给水系统应根据企业规模、水源和水源供水能力等因素确定。

7.5.2 生产和消防共用蓄水池应采取保证消防用水量不被挪用

的措施。

7.5.3 厂区内灭火设施的设置应符合现行国家标准《纺织工程设计防火规范》GB 50565、《建筑设计防火规范》GB 50016、《建筑灭火器配置设计规范》GB 50140 和《消防给水及消火栓系统技术规范》GB 50974 的有关规定。

7.6 排水系统和管道布置

7.6.1 工厂排水量及废水水质应符合下列规定：

1 生产排水量应以生产用水量为依据，并应区分生产废水、清洁废水；

2 生活排水量、雨水排水量的确定，应符合现行国家标准《建筑给水排水设计规范》GB 50015 的有关规定；

3 各类废水在排入受纳水体或管网前应符合国家和地方现行有关标准的规定。

7.6.2 厂区内排水系统应采用生产、生活排水与雨水分流的排水系统。根据排出的废水性质、浓度、水量等指标，宜按质分类、清浊分流、分别排放。

7.6.3 排水管道选择应综合排放介质的适用情况、建筑高度、抗震防火要求以及建设地的管道供应等条件，经技术经济比较后因地制宜选用。并应符合下列规定：

1 室内排水管道宜采用塑料排水管，特殊建筑可采用柔性铸铁排水管；

2 室外排水管宜采用塑料管、混凝土管或钢筋混凝土管，宜采用埋地方式敷设；

3 含有腐蚀性物质、油质或其他有害物质的生产污水和温度高于40℃的生产废水，应采用耐腐蚀与耐热排水管材，并应经处理达规定后，再排入生产废水和雨水排水系统；

4 室内排水沟与室外排水管道连接处应设水封装置，水封高度不应小于50mm。

7.7 废水处理与回用

7.7.1 空压机、制冷机冷却水应循环使用。清洁废水应采取收集、再利用的措施。

7.7.2 厂区生产废水的处理,应符合现行国家标准《纺织工业企业环境保护设计规范》GB 50425 的有关规定。

7.7.3 厂区雨水回收利用应根据当地气象资料、厂区地形及经济技术条件比较后确定。雨水回收利用可按现行国家标准《建筑与小区雨水利用工程技术规范》GB 50400 执行。

7.7.4 再生水管道严禁与生活饮用水管道连接。

7.7.5 回用水用水点应有防止误用或误饮的明显标志。

8 供暖通风与空调除尘

8.1 一般规定

8.1.1 针织工厂供暖、通风、空调与除尘设计,除执行本规范外,还应符合现行国家标准《工业建筑供暖通风与空气调节设计规范》GB 50019、《纺织工程设计防火规范》GB 50565 和《纺织工业企业职业安全卫生设计规范》GB 50477 的有关规定。

8.1.2 针织工厂防排烟设计应符合现行国家标准《纺织工程设计防火规范》GB 50565 的有关规定。

8.1.3 室外空气计算参数可采用现行国家标准《工业建筑供暖通风与空气调节设计规范》GB 50019 提供的数据,或采用气象部门提供的数据,按有关规定经计算确定。

8.1.4 车间空气温湿度设计参数应根据生产工艺要求确定。生产工艺无特殊要求时,可采用本规范附录 J 中的数值。

8.2 供　　暖

8.2.1 车间供暖负荷应根据热平衡计算确定,工艺设备散热量宜按不低于生产负荷的 70% 计算。

8.2.2 厂区内生活、行政辅助建筑集中供暖系统应采用热水为供暖热媒。生产车间、仓库和公用辅助建筑宜采用热水为供暖热媒,当厂区供热以工艺用蒸汽为主时,在不违反消防、卫生、技术和节能要求的条件下,可采用蒸汽做供暖热媒。

8.2.3 锅炉房和热力站的供暖总管上应设置计量总供热量的热量表。厂区内集中供暖的建筑应按能源管理要求设置热量表。

8.3 通 风

8.3.1 车间内工人操作点空气中有害物质的最高浓度应符合国家有关标准的规定。

8.3.2 染整工序、染化料调配间和试化验室应设置机械通风系统,并与相邻房间保持负压,通风量应经计算确定。

8.3.3 排除余热余湿及有害物质时,宜优先采用通风措施加以消除。对不可避免放散的污染环境的有害物质,在排放前应采取净化措施,经处理达标后排放。应优先采用自然通风消除余热余湿和进行室内污染物浓度的控制。

8.3.4 车间内散热、散湿量较大或散发有害气体的机台应采用局部排风,局部排风量应根据工艺设备提供的参数或罩面风速确定。

8.3.5 染整工序的机械送风系统,夏季可直接利用室外新风或经循环水蒸发冷却处理后送入车间;严寒、寒冷及夏热冬冷地区的机械送风系统应设置空气加热装置,冬季应利用加热装置对送风加热。

8.3.6 车间通风系统风管应采用不燃材料制作,接触腐蚀性气体的风管及柔性接管可采用难燃材料制作。通风设备及配件应根据环境和输送介质温度、腐蚀性等因素,采用防腐蚀材料制作并采取相应的防火措施。

8.3.7 车间通风、空调系统防火阀的设置应符合现行国家标准《纺织工程设计防火规范》GB 50565的有关规定。

8.4 空 调

8.4.1 车间各空调区应分别进行夏季空调负荷和冬季空调负荷计算,空调负荷计算应符合现行国家标准《工业建筑供暖通风与空气调节设计规范》GB 50019的有关规定。

8.4.2 车间围护结构的传热系数(K)应根据车间温湿度要求和室外气象条件确定,并应满足节能和防结露要求。

8.4.3 车间空调系统宜按空调区域要求和防火分区设置。

8.4.4 经编、纬编、织袜车间及羊毛衫车间编织工序空调系统宜采用喷淋室处理空气。当冷源为人工冷源时宜采用单级二排喷淋；当冷源为自然冷源时宜采用双级四排喷淋。喷嘴口径应根据空气处理过程、空调水质等因素确定；喷嘴分布密度应根据热工计算确定。喷淋室应设置水过滤装置。

8.4.5 经编、纬编、织袜车间及羊毛衫车间编织工序空调系统的空气加热器宜选用光管加热器，加湿器宜选用干蒸汽加湿器。喷淋室挡水板应选择空气阻力小、便于清洗维修的结构形式，挡水板的材质应耐腐蚀。

8.4.6 成衣车间及羊毛衫车间缝合工序空调系统可根据冷源供应情况采用柜式风机盘管机组或水（风）冷单元式空调机组等全空气空调系统，气候适宜的地区可采用蒸发冷却空调系统，车间加湿宜采用高压喷雾加湿。

8.4.7 空调回风系统应根据车间回风中所含杂质的特点选用回风过滤装置，新风入口应根据产品质量要求和当地环境条件采取相应的新风过滤措施。

8.4.8 成衣车间及羊毛衫车间缝合工序的排风系统宜设置排风热回收装置。

8.4.9 空调室供水管道应有防回流措施，室内排水管（沟）与室外排水管相接的管段上应有水封装置。

8.4.10 空调送风管及绝热材料应符合现行国家标准《建筑设计防火规范》GB 50016 的有关规定。

8.4.11 空调回风地沟及回风管内壁应光滑、防潮和不漏风，并应设有检查口，回风地沟还应设置集水坑，回风口宜设有风量调节装置。

8.5 除 尘

8.5.1 除尘系统设计应满足生产工艺和安全卫生要求。车间内粉尘的时间加权平均浓度不应大于 $1mg/m^3$。

8.5.2 除尘室不得设在地下室或半地下室内,除尘室上面不宜布置生产或辅助用房,相邻房间不宜设置变配电室。不同工序的除尘设备应分别布置,除尘室宜与空调室相邻布置。

8.5.3 除尘机组应选用不产生火花、连续过滤、连续清灰的除尘机组,不得采用沉降室除尘。

8.5.4 除尘风管内的经济风速可为 $10m/s \sim 14m/s$,除尘风管应设计成圆形,风管上应留有检查口,风管宜架空明设。

8.5.5 除尘系统的金属件应防静电接地,被绝缘体相隔的金属件应用导线相连接地。

8.5.6 编织工序宜设置飞花吸除装置。

9 电 气

9.1 一 般 规 定

9.1.1 供配电系统设计应满足生产工艺的要求,符合安全可靠、技术先进、维护管理方便及经济合理的原则,应采用符合有关标准的高效、节能、环保产品。

9.1.2 电能计量装置应按照车间、工序或不同类型设备设置,应满足用电准确计量要求。

9.2 供配电系统

9.2.1 针织工厂工艺用电负荷应为三级负荷。消防设备用电负荷等级应符合现行国家标准《建筑设计防火规范》GB 50016 的有关规定。

9.2.2 供电电压等级与供电回路数应按照生产性质、负荷分级、负荷容量并结合当地供电条件确定。供电电压宜采用 10kV,低压配电电压应采用 220V/380V。

9.2.3 用电负荷计算宜采用需要系数法,消防专用负荷可不计入总负荷。季节性负荷应选择最大值计入总负荷。

9.2.4 针织工厂宜设置独立高压配电站,车间变配电室宜设在车间附房。

9.2.5 车间变配电室应符合下列规定：

　　1 车间变配电室应根据负荷容量及负荷分布设置,并宜靠近负荷中心。

　　2 变配电室不应设在成衣车间、丙类物品库房的正上方或正下方。与车间的隔墙应为密实的不燃烧体。电线管道和电缆管道穿过墙和楼板处,应采用防火封堵材料严密封堵。

3 相邻近车间变配电室之间宜设置低压联络。

4 变压器宜选用 D,yn11 接线组别的三相配电变压器,变压器单台容量不宜大于 1250kV·A。

9.2.6 爆炸危险环境电气设计应符合现行国家标准《爆炸危险环境电力装置设计规范》GB 50058 的有关规定。

9.2.7 成衣、拉毛等生产场所及可燃物品库房,电气线路应穿金属管保护,也可采用封闭式金属线槽敷设。

9.2.8 可燃物品库房、成衣车间等火灾危险性大的场所的电源进线配电箱应设置剩余电流保护器。保护器动作电流不应大于 500mA。

9.2.9 针织工厂的无功功率补偿宜在变配电室内低压侧集中设置并联电容器组。

9.2.10 配电系统设计应采取控制各类非线性设备所产生的谐波引起电网接入点电压正弦波形畸变的措施,总谐波畸变率应符合现行国家标准《电能质量　公用电网谐波》GB/T 14549 的有关规定。

9.3 照　　明

9.3.1 车间照明应根据工艺要求及工作环境选用高效光源及灯具,并应符合下列要求:

　　1 染整车间宜采用防腐蚀密闭灯具;

　　2 拉毛、磨毛等车间不应采用防护等级低于 IP5X(标志为 DP)的灯具;

　　3 可燃物品库房灯具应适合 BE2 场所,其防护等级不应低于 IP4X,光源大于 60W 时,灯具引入线应采取隔热保护措施;

　　4 成衣车间缝纫工段可采用组合线槽荧光灯带作为局部照明。

9.3.2 车间作业区域内一般照明的照度均匀度不应小于 0.7。通道和其他非作业区域的一般照明的照度值不宜低于作业区域内一般照明照度值的 1/3。

9.3.3 编织、成衣、织袜、羊毛衫等车间照明应采取防频闪措施。

9.3.4 车间照明应根据工序、工段或操作工位设置照明配电箱并分组控制。

9.3.5 生产车间及辅助建筑的照度标准不应低于表 9.3.5 的规定。

表 9.3.5 生产车间及辅助建筑的照度

	工序或设备	工作面高度	照度标准值(lx)		UGR	Ra
			一般照明	混合照明		
编织工序	络纱机、横机、无缝内衣机	0.75m 水平面	200	—	22	80
	圆机、翻布机	布面	150	—	22	80
	经编机		150	500	22	80
	整经机	机头 纱架	300 150		22	80
	修补	布面	100	500	22	80
染整工序	煮练、绳洗、漂白、开幅	布面、机面	100	—	—	80
	印花、拉毛	0.75m 水平面	100	500	22	80
	染色、轧光		100	—	22	80
	定型	布面	100	—	—	80
	圆网烘燥		100	150	—	80
成衣工序	裁剪	0.75m 水平面	100	300	22	80
	缝纫、检验、分等		100	500	22	80
	包装		100	—	—	80
织袜工序	织袜	0.75m 水平面	100	500	22	80
	缝头		100	750	22	80
	定型		200	—	22	80
	检验		100	500	22	80

9.3.6 生产厂房应设应急照明,并应符合现行国家标准《建筑设计防火规范》GB 50016 及《纺织工程设计防火规范》GB 50565 的有关规定。

9.3.7 生产车间宜设值班照明。

9.4 防雷与接地

9.4.1 厂房、仓储设施等建(构)筑物防雷设计应符合现行国家标准《建筑物防雷设计规范》GB 50057 和《建筑物电子信息系统防雷技术规范》GB 50343 的有关规定。

9.4.2 建筑物防雷措施应符合下列要求:

  1 接闪器宜采用装设在建筑物上的接闪网、接闪带、接闪杆或金属屋面、金属物;

  2 引下线宜利用钢筋混凝土屋顶、梁、柱、基础内的钢筋和钢结构厂房钢柱;

  3 当基础采用硅酸盐水泥,周围土壤含水率不低于4%且基础外表面无防腐层或有沥青质的防腐层时,宜利用基础内可靠连接成电气通路的闭合环状钢筋及柱下基础钢筋作接地极,并应与进出建筑物的金属管线做等电位连接。

9.4.3 烧毛间、油锅炉等部位采取的防闪电感应措施应符合下列规定:

  1 建筑物内的设备、管道、构架、电缆铠装等较大金属物,应接到防闪电感应接地装置上;

  2 平行敷设的管道、构架和电缆铠装等长金属物,平行净距小于 100mm 时,应每隔 30m 采用金属线跨接,交叉净距小于100mm 时,交叉处应跨接;

  3 金属管道弯头、阀门、法兰盘等连接处过渡电阻大于 0.03Ω 时,连接处应采用金属线跨接;

  4 跨接金属线不应采用截面小于 $6mm^2$ 的铜芯软线。

9.4.4 建筑物内的低压配电系统的接地型式宜采用 TN－C－S

和TN-S系统。由同一台变压器或同一母线段向同一建筑物供电的低压配电系统,应采用同一种接地型式。

9.4.5 针织工厂的接地宜采用共用接地装置。接地网接地电阻应符合其中最小值的要求。

9.4.6 针织工厂存在爆炸危险环境的场所,静电保护措施应符合现行国家标准《防止静电事故通用导则》GB 12158 的有关规定。

9.5 火灾自动报警

9.5.1 下列建筑或场所应设置火灾自动报警系统:
   1 每座占地面积大于 1000m² 的棉、毛、丝、麻、化纤及其制品的仓库;
   2 任一层建筑面积大于 1500m² 或总建筑面积大于 3000m² 的棉针织品生产厂房;
   3 丙类厂房中的变配电室、电动机控制中心、中央控制室;
   4 设置机械排烟、防烟系统、雨淋或预作用自动喷水灭火系统等需与火灾自动报警系统联锁动作的场所;
   5 包含有电加热及电烘干部位的场所。

9.5.2 设有机械排烟的车间、库房应设置火灾自动报警系统。

9.5.3 火灾探测器选择应符合下列规定:
   1 丙类厂房内的烘干、电加热处宜选择点型感温探测器;
   2 丙类物品库房,纬编、经编、织袜、羊毛衫、成衣、包装等车间应根据可燃物燃烧特性、空间高度、设备遮挡等环境条件,确定探测器类型;
   3 采用燃气加热、烧毛的场所宜设可燃气体探测器。

9.5.4 染整等湿加工车间宜设手动报警按钮及声光报警器。

9.5.5 火灾自动报警系统设计应符合现行国家标准《火灾自动报警系统设计规范》GB 50116 和《纺织工程设计防火规范》GB 50565 的有关规定。

10 动 力

10.1 一 般 规 定

10.1.1 针织工厂用热负荷应包括生产工艺、空调、供暖和生活用热，用冷负荷应包括空调用冷。

10.1.2 针织工厂热源供应应根据区域供热规划确定。当热源不能由城市（区）热电厂、区域锅炉房或其他企业的锅炉房供应时，应自设锅炉房。

10.1.3 针织工厂宜在下列位置设置计量装置进行生产管理和成本核算：

  1 锅炉房和热力站蒸汽管道出口，各车间和主要用汽设备入口管道；

  2 燃气总管、主要用燃气设备入口管道；

  3 各车间压缩空气入口管道。

10.2 蒸汽供热系统

10.2.1 针织工厂用汽部门应提出用汽参数（温度、压力）及小时平均用汽量和小时最大用汽量，宜绘制主要设备、用热车间和全厂的热负荷曲线，应按生产、空调、生活和锅炉自用热负荷，考虑同时使用系数和管网损失后，计算得出最大计算热负荷。

10.2.2 蒸汽系统应根据用汽参数设置减压减温装置，经常运行的减压减温装置应有1套备用。

10.2.3 锅炉房设计应根据全厂最大计算热负荷及近期发展需要确定，并应符合现行国家标准《锅炉房设计规范》GB 50041 的有关规定。

10.2.4 针织工厂生产用汽应在热力站集中控制，各主要车间宜分别单独敷设干管。

10.3 蒸汽凝结水回收和利用

10.3.1 用蒸汽间接加热而产生的凝结水应加以回收利用。

10.3.2 高压和低压凝结水系统应分别敷设，空调、供暖清洁凝结水应与生产性非清洁凝结水分别敷设。

10.3.3 蒸汽凝结水的回收方式和凝结水回收设备，应根据不同的用汽特点和条件、管道敷设方式等择优选用。蒸汽凝结水回收系统宜结合工艺生产热废水回收系统综合确定。

10.4 导热油供热系统

10.4.1 热定型、烘焙、染色等工序采用油热载体加热炉为高温热源时，加热炉选型应根据工艺设备用热参数、热负荷量及当地燃料（煤、油、气）条件综合确定，且不宜少于2台。

10.4.2 油热载体加热炉的位置宜靠近热负荷中心，与燃煤蒸汽锅炉房使用同种燃料的热载体加热炉宜布置在同一区域，宜合用辅助设备。

10.4.3 导热油供热系统设计，应根据工艺要求确定导热油进、出口油温和导热油在炉管中的流速，并应有防止导热油氧化及防止油温过高的措施。

10.5 燃　　气

10.5.1 燃气管道设计应符合现行国家标准《城镇燃气设计规范》GB 50028 和《工业企业煤气安全规程》GB 6222 的有关规定。

10.5.2 进车间的燃气管道应架空敷设。

10.6 压缩空气

10.6.1 压缩空气站设计容量应根据设备用气压力、用气量及用气质量的要求，计入同时使用系数、管道系统漏损系数后计算确定。

10.6.2 针织工厂压缩空气站设计应符合现行国家标准《压缩空气站设计规范》GB 50029 的有关规定。

10.7 制　　冷

10.7.1 制冷站位置宜靠近负荷中心，并应综合回水管道布置及供电情况等因素确定。

10.7.2 制冷机组应综合项目规模、用途、冷负荷量，以及当地能源结构、能源价格、节能减排和环保规定等因素确定。

10.7.3 制冷机组选型、单机制冷量及台数，应能满足全年空气调节负荷变化需要。

10.7.4 地埋管地源热泵系统设计时，应对地埋管换热系统进行全年供暖空调动态负荷计算，最小计算周期宜为 1 年。计算周期内，地源热泵系统总释热量和总吸热量宜基本平衡。

10.7.5 冷冻水和冷却水系统均应设置水过滤和水质控制装置。

10.7.6 冷冻水管道绝热层厚度的计算方法应符合现行国家标准《设备及管道绝热设计导则》GB/T 8175 的有关规定。

10.7.7 冷冻水管道的绝热层外应设置隔汽层和保护层。

10.7.8 制冷站设计应符合现行国家标准《工业建筑供暖通风与空气调节设计规范》GB 50019 的有关规定。

10.8 管道敷设

10.8.1 厂区动力管道布置应根据建筑物布置方向与位置、热负荷分布等综合确定，并根据生产需要和管道性质设置管架及管道排列的层次。

10.8.2 车间动力管道布置应便于安装、操作及检修，管道宜沿墙柱铺设，应满足装设仪表的要求，不应妨碍门窗的启闭与室内采光。

10.8.3 室外架空管道可采用低、中、高支架敷设。在不妨碍交通的地段宜采用低支架敷设,通过人行横道地段宜采用中支架敷设,在车辆通行地段应采用高支架敷设。

10.8.4 供热、供冷管道可与重油管、压缩空气管、自来水管敷设在同一地沟内,不得与输送易挥发、易爆、有害、有腐蚀性介质的管道敷设在同一地沟内。

10.8.5 供热、供冷管道热膨胀补偿应充分利用管道的自然补偿,当不能满足要求时,应设置补偿器。

10.8.6 车间湿度较大位置的输送常温、低温介质的管道,应有防止管道结露的措施。

11 仓　　储

11.1　一　般　规　定

11.1.1　各类物资的储备应符合保证生产、加快周转、防止损失的要求,并应在满足生产需要的前提下,确定仓库的面积。

11.1.2　仓库布置应方便生产、方便运输,宜靠近使用部门,缩短运输距离。

11.1.3　库区和库内货物的装卸运输应提高机械化程度和信息化管理水平。

11.2　原料库、半成品库、成品库

11.2.1　原纱(丝)储存周期可根据当地原料市场供应情况确定,可按 30d～90d 选择。

11.2.2　半成品库应分别设毛坯布库和净坯布库。毛坯布库的存放周期可视生产周转需要而定,净坯布库的存放周期宜为坯布定型后至少存放 24h 方可包装或投入裁剪工序。

11.2.3　成品储存周期可按 15d～30d 确定。

11.2.4　原料库、半成品库、成品库的建筑面积可根据荷重法按下式计算：

$$S = \frac{QT}{qf} \qquad (11.2.4)$$

式中：S——仓库面积(m^2)；

　　　Q——日存储量(kg)；

　　　T——储存周期(d)；

　　　q——单位面积储存能力(kg/m^2)；

　　　f——面积利用系数,可取 0.5。

11.3 染化料库

11.3.1 染化料储存周期可根据当地原料市场供应情况确定,染料可按6个月用量,化工料和助剂可按2个月用量储存。

11.3.2 桶装或袋装的染料、化工料和助剂储存能力可按$300kg/m^2 \sim 500kg/m^2$,面积利用系数宜为0.5。

11.4 机物料库

11.4.1 机物料、机配件的储存周期及机物料库的建筑面积可根据生产规模和市场供应情况确定。

11.4.2 机物料库内各种小件物品的储存可采用层式货架,人工存取的货架高度不宜超过2.5m。

11.5 危险品库

11.5.1 危险品库内应分隔成若干间,并应将各类物品分开存放,每间建筑面积可按$20m^2 \sim 40m^2$确定。

11.5.2 存放的危险品应防止太阳直晒,库内应保持干燥、阴凉、通风,并应配置消防设施。

11.6 其他仓库

11.6.1 废品库建筑面积可按$60m^2 \sim 120m^2$确定,宜在库旁设少量处理废品的空地。

11.6.2 下脚料库的建筑面积可按$30m^2 \sim 60m^2$确定。

11.6.3 导热油锅炉存油库建筑面积可按$30m^2 \sim 50m^2$确定。

12 职业卫生

12.0.1 针织工厂设计应对工作场所的危险因素和有害因素进行全面、可靠的资料调查。所采取的治理和防范措施应做到技术先进、经济合理、安全适用。

12.0.2 拉毛机、磨毛机、剪毛机等有飞尘产生的设备应设滤尘装置,滤尘装置应有纤杂压实和连续排尘等设施。

12.0.3 铸针室熔铅炉应设密封罩,并应设局部排气装置,铸针室内空气中的含铅烟量应小于 $0.03mg/m^3$(时间加权平均容许浓度)。

12.0.4 针织车间、印花车间的采光等级应为Ⅱ级,漂练车间、染色车间的采光等级应为Ⅲ级。

12.0.5 漂练车间、染色车间和印花车间等湿车间的地面应采取防滑措施。

12.0.6 导热油锅炉及热载体系统的设备、管道应选用密闭式设备和焊接连接方式。热载体系统排气应进入热载体收集槽,经冷凝器冷凝后放空。

12.0.7 成衣车间蒸汽熨烫流水线宜与缝纫流水线隔开,配套的抽湿机、空压机宜设置在生产附房内。

12.0.8 针织工厂职业卫生设计,除应符合本规范要求外,尚应符合现行国家标准《纺织工业企业职业安全卫生设计规范》GB 50477 的有关规定。

附录A 纬编生产工艺流程

A.1 纬编编织生产工艺流程

A.1.1 汗布、绒布宜采用下列生产工艺流程：

原纱→检验→（络纱）→编织→密度检验→过磅打戳→（翻布）→验布→修补→（翻布）→入毛坯布库。

A.1.2 棉毛布宜采用下列生产工艺流程：

原纱→检验→（络纱）→编织→密度检验→过磅打戳→验布→修补→（翻布）→修补→入毛坯布库。

A.1.3 罗纹布宜采用下列生产工艺流程：

原纱→检验→（络纱）→编织→密度检验→过磅打戳→验布→修补→（翻布）→入毛坯布库。

A.1.4 化纤长丝织物宜采用下列生产工艺流程：

原丝→检验→编织→密度检验→过磅打戳→验布→修补→装袋→入毛坯布库。

A.1.5 含氨纶织物宜采用下列生产工艺流程：

1 含氨纶单面织物宜采用下列生产工艺流程：

原纱→检验→（络纱）┐
　　　　　　　　　　├→编织→密度检验→过磅打戳→验
氨纶丝→检验　　　　┘

布→修补→（剖幅）→平幅卷布→入毛坯布库。

2 含氨纶双面织物宜采用下列生产工艺流程：

原纱→检验→（络纱）┐
　　　　　　　　　　├→编织→密度检验→过磅打戳→验
氨纶丝→检验　　　　┘

布→修补→（翻布）→修补→入毛坯布库。

A.1.6 真丝针织物宜采用下列生产工艺流程：

1 真丝湿织宜采用下列生产工艺流程：

绞丝→翻、络丝→泡丝→织造→烘干→过磅打戳→验布→修补→翻布→入毛坯布库。

2 真丝干织宜采用下列生产工艺流程：

绞丝→翻、络丝→真空给湿→织造→过磅打戳→验布→修补→入毛坯布库。

A.2 纬编染整工艺流程

A.2.1 棉针织物染整宜采用下列加工工艺流程：

1 圆筒针织物染整宜采用下列加工工艺流程：

1）漂白产品宜采用下列加工工艺流程：

毛坯布→煮漂→水洗→柔软→脱水→湿扩幅→松式烘干→（翻布）→预缩轧光→检验→包装→入库。

2）浅、中色产品宜采用下列加工工艺流程：

毛坯布→煮漂→水洗→染色→水洗→中和皂洗→水洗→柔软→脱水→湿扩幅→松式烘干→（翻布）→预缩轧光→检验→包装→入库。

3）深色产品宜采用下列加工工艺流程：

毛坯布→渗透净洗→染色→水洗→中和皂洗→水洗→（固色）→柔软→脱水→湿扩幅→松式烘干→（翻布）→预缩轧光→检验→包装→入库。

4）浅色薄绒产品宜采用下列加工工艺流程：

毛坯布→漂白水洗→染色→水洗→柔软处理→脱水→扩幅→烘干→缝头→起绒→翻布→预缩轧光→检验→包装→入库。

5）深色厚绒产品宜采用下列加工工艺流程：

毛坯布→渗透净洗→染色→水洗→柔软处理→脱水→扩幅→烘干→缝头→起绒→翻布→预缩轧光→检验→包装→入库。

2 圆筒针织物平幅后整理宜采用下列加工工艺流程：

1）漂白、染色坯布→脱水→剖幅→浸轧柔软剂→拉幅烘干定形→检验→包装→入库。

2）漂白、染色坯布→浸轧柔软剂→脱水→松式烘干→剖幅→拉幅汽蒸预缩整理→检验→包装→入库。

3 圆筒针织物烧毛、丝光产品漂染宜采用下列加工工艺流程：

1）毛坯布→圆筒坯布烧毛→圆筒坯布丝光→漂白→染色→后处理。

2）毛坯布→圆筒坯布烧毛→漂白→水洗烘干→圆筒坯布丝光→水洗→染色→后处理。

4 圆筒针织物连续前处理宜采用下列加工工艺流程：

圆筒毛坯布→接头→退捻开幅→浸轧（渗透剂、螯合剂）→进入堆置箱堆置反应→温水洗→温水洗→浸轧漂白剂→汽蒸箱汽蒸→热水洗→（柔软）→轧水→出布。

5 平幅针织物染整宜采用下列加工工艺流程：

1）圆筒毛坯布→接头→剖幅→前处理→浸轧漂白剂→汽蒸箱汽蒸→热水洗→

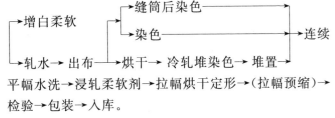

平幅水洗→浸轧柔软剂→拉幅烘干定形→（拉幅预缩）→检验→包装→入库。

2）毛坯布→验布→修整→平幅烧毛→平幅丝光→

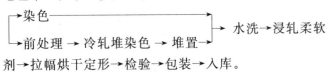

剂→拉幅烘干定形→检验→包装→入库。

6 抗皱防缩整理宜采用下列加工工艺流程：

漂白或染色后坯布→剖、扩幅→烘干→浸轧树脂→拉幅焙烘定形→(轧光)→检验→包装→入库。

7 色织产品宜采用下列加工工艺流程：

色织布→剖幅→(烧毛→丝光)→水洗→脱水→烘干→(浸轧树脂)→柔软→拉幅定形→(轧光)→检验→包装→入库。

8 双丝光高档针织物染整宜采用下列加工工艺流程：

精梳股纱→纱线烧毛→纱线丝光→编织→

```
┌→圆筒坯布烧毛 → 圆筒坯布丝光 → 烘干 → 剖幅 →┐
│                                              ├→平幅连续
└→(平幅烧毛)→ 平幅丝光─────────────────────────┘
```

漂白→冷轧堆染色(或溢流染色)→(浸轧树脂)→拉幅定形→预缩轧光→检验→包装→入库。

9 生物酶抛光宜采用下列加工工艺流程：

毛坯布→煮漂→生物酶抛光→染色→水洗→柔软→脱水→烘燥→后整理。

10 印花产品宜采用下列加工工艺流程：

1）圆筒织物印花加工工艺流程：漂染后坯布→涂料辊筒印花→烘干→预缩轧光→检验→包装→入库。

2）平幅织物印花宜采用下列加工工艺流程：

漂染后平幅净坯布→

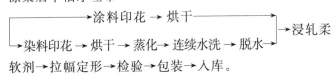

软剂→拉幅定形→检验→包装→入库。

A.2.2 真丝、苎麻针织物染整宜采用下列加工工艺流程：

真丝针织坯布→预处理→

```
┌→初炼 → 复炼 → 水洗 →(漂白 → 增白 → 水洗)→┐
│                                              ├→柔软处理→
└→快速精炼 → 水洗 → 染色 → 水洗 →(固色)──────┘
```

(抗皱整理)→脱水→烘干→堆置→整理(圆筒织物)或拉幅定形(剖幅织物)→检验→包装→入库。

苎麻针织坯布→烧毛→

→丝光→煮炼→漂白→增白─────→柔软处理→脱水→烘干→
→煮炼→漂白→染色酶抛光→水洗─↗

轧光→检验→包装→入库。

A.2.3 化学纤维针织物染整宜采用下列加工工艺流程：

1 纤维素纤维针织物染整宜采用下列加工工艺流程：

纤维素纤维针织坯布→ →漂白增白一浴法→ →水洗→
→精炼→水洗→染色→

柔软→脱水→烘干→预缩轧光→检验→包装→入库。

2 涤纶、锦纶长丝针织物染整宜采用下列加工工艺流程：

1）增白产品宜采用下列加工工艺流程：

化纤长丝针织坯布→洗油预缩→水洗→增白→脱水→（烘干）→剖幅→柔软→拉幅定形→检验→入库。

2）平幅染色产品宜采用下列加工工艺流程：

平幅化纤长丝针织坯布→精炼水洗→（预定形）→染色→还原清洗→水洗→脱水→（柔软整理）→拉幅热定形→烘干→检验→打卷→入库。

3）印花产品宜采用下列加工工艺流程：

平幅化纤长丝针织坯布→松弛预缩洗油→漂白→预定形→圆网（平网）印花→常压高温蒸化→连续水洗→脱水→柔软→拉幅定形→检验→打卷→包装→入库。

4）色织产品宜采用下列加工工艺流程：

化纤长丝色织针织布→洗油→皂洗→水洗→拉幅定形→检验→打卷→包装→入库。

3 腈纶针织物染整宜采用下列加工工艺流程：

1）特白、浅色产品宜采用下列加工工艺流程：

坯布→前处理→增白或染色→（柔软处理）→脱水→湿扩幅→烘干→呢毯轧光→检验→包装→入库。

2）中、深色产品宜采用下列加工工艺流程：
坯布→染色→(柔软处理)→脱水→开幅→烘干→呢毯轧光→检验→包装→入库。

3）起绒产品宜采用下列加工工艺流程：
烘燥后的坯布→翻布→汽蒸→轧光→堆置→翻布→缝头→起绒→翻布→轧光→检验→包装→入库。

A.2.4 混纺和交织针织物染整宜采用下列加工工艺流程：

1 涤棉混纺、交织针织物染整宜采用下列加工工艺流程：

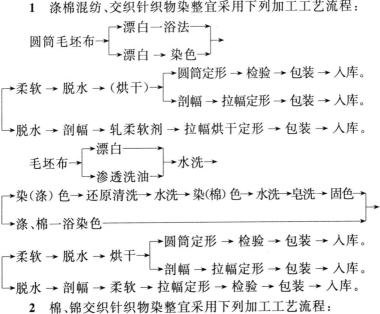

2 棉、锦交织针织物染整宜采用下列加工工艺流程：

1）增白、浅中色产品宜采用下列加工工艺流程：

毛坯布→漂白→水洗→
　→增白→柔软处理→脱水→烘干→热定形→检验→包装→入库。
　→染棉→水洗→染锦纶→水洗→固色→水洗→柔软处理→脱水→烘干→热定形→检验→包装→入库。

2)深色产品宜采用下列加工工艺流程：

毛坯布→渗透净洗→水洗→染棉→水洗→染锦纶→水洗→固色→水洗→柔软处理→脱水→剖幅→柔软→拉幅定形→检验→包装→入库。

3 腈棉混纺、交织针织物染整宜采用下列加工工艺流程：

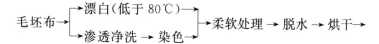

┌→圆筒→（轧光→起绒）→呢毯定形→定形→包装→入库。
└→剖幅拉幅定形→检验→包装→入库。

A.2.5 含氨纶弹性针织物染整宜采用下列加工工艺流程：

圆筒毛坯布 → 接头 → 剖幅 ┐
平幅毛坯布 → 接头 ────────┴→平幅水洗→预定形→缝筒→

溢流机漂白→染色→水洗→脱水→拆缝→柔软→拉幅定形→检验→包装→入库。

圆筒毛坯布 → 接头 → 剖幅 ┐
平幅毛坯布 → 接头 ────────┴→预定形→平幅水洗→平幅连

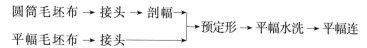

检验→包装→入库。

A.3 纱线漂染加工工艺流程

A.3.1 筒子纱漂染宜采用下列加工工艺流程：

坯纱→松式络筒→（倒角）→煮练→（漂白）┬→染色→水
                                    └→增白─┘

洗→柔软→脱水→烘干→络筒→检验→包装→入库。

A.3.2 绞纱漂染宜采用下列加工工艺流程：

坯纱→煮练→(漂白)→染色→水洗→中和→柔软→脱水→松式烘干→(倒绞)→检验→包装→入库。

（漂白后可增白，再染色）

A.3.3 纱线烧毛、丝光宜采用下列加工工艺流程：

坯纱→烧毛→摇纱打绞→丝光→水洗→轧水→脱纱→酸洗→中和→绞纱漂染加工。

中和→水洗→烘干→松式络筒→筒子纱漂染加工。

A.3.4 化纤丝（涤纶、锦纶、腈纶）漂染宜采用下列加工工艺流程：

坯纱→松式络筒→(倒角)→水洗→染色→水洗→柔软（防静电处理）→脱水→烘干→检验→包装→入库。

A.4 花式织物生产工艺流程

A.4.1 彩横条织物宜采用下列生产工艺流程：

筒纱→松式络筒→染色→烘干→络筒→编织→过磅

绞纱→染色→烘干→

打戳→检验→入库→接头→水洗→脱水→剖幅→浸轧树脂→光电整纬→拉幅定形→检验→包装→入库。

A.4.2 天鹅绒织物宜采用下列生产工艺流程：

筒纱→蒸纱→编织→过磅打戳→检验→入库→接头→煮漂→染色→水洗→脱水→转筒→烘干→剖幅→定形→初剪→梳毛→拉幅定型→复剪→梳毛→整理→检验→打卷→包装→入库。

A.4.3 毛纱喂入式人造毛皮宜采用下列生产工艺流程：

腈纶染纱→水洗→烘干→络筒→编织→涂层上胶→定形→梳毛→(剪毛→烫光)(3次～4次)→整理→包装→入库。

A.4.4 毛条喂入式人造毛皮宜采用下列生产工艺流程：

底纱→编织→过磅打戳→涂层上胶→定形→梳毛→

毛条→

初剪→梳毛→复剪→梳毛→修剪→烫光→整理→包装→入库。

A.4.5 摇粒绒织物（双面刷毛单面摇粒）宜采用下列生产工艺流程：

筒纱→编织→过磅打戳→翻布→缝头→前处理→染色→脱水→剖幅→浸轧起毛剂→定型→拉毛（正反各2道）→定型→梳毛→剪毛→摇粒→拉幅定形→检验→包装→入库。

A.5 成衣生产工艺流程

A.5.1 纬编成衣宜采用下列生产工艺流程：

净坯布检验→叠布→划样→裁剪→打标记扎捆→缝纫→熨烫→成品检验→检针→折叠→包装→入库。

附录 B 经编生产工艺流程

B.1 单针床经编织物生产工艺流程

B.1.1 素色化纤涤纶、涤锦交织类织物宜采用下列生产工艺流程：

原料进厂→原料检验→车间堆置 24h→整经→上轴穿纱→编织→过磅打戳→拷印→坯布检验→入坯布库→配缸→理布→缝头→前处理→[松式绳状 / 平幅松弛]→洗练→脱水→[离心式 / 真空式]→理布→缝头→拉幅定型→接头→染色→水洗→脱水→[柔软防静电 / 树脂浸轧整理]→拉幅定形→[高温拉幅 / 焙烘拉幅]→质量检验→测长→卷布→称重→烫印→包装入库。

B.1.2 色织染纱类织物宜采用下列生产工艺流程：

筒丝→松式络筒→筒子染色→筒子烘干→络筒→整经→上轴穿纱→编织→过磅打戳→检验→入坯布库→配缸→理布→缝头→水洗→真空吸水(或脱水)(→理布→缝头)→拉幅定形→成品检验→测长→打卷→过磅→包装入库。

B.1.3 提花类织物宜采用下列生产工艺流程：

筒丝→整经→上轴穿纱 / 筒丝→上纱架→穿提花梳栉→编织→过磅→打戳→检验→入坯布库→配缸→理布→缝头→水洗→加白或染色→水洗→脱水→理布缝头→定形→成品检验→测长→打卷→过磅→包装→入库。

B.1.4 起绒绒类织物(轧花和不轧花绒布)宜采用下列生产工艺流程:

筒丝→整经→上轴穿纱→编织→过磅打戳→检验→入坯布库→配缸→理布→缝头→水洗→染色→(加柔软剂)脱水→理布→缝头→预定形→{(轧花绒布)轧花 / (不轧花绒布)}→起绒→定形→成品检验→测长→打卷→过磅→包装→入库。

B.1.5 氨纶弹性织物宜采用下列生产工艺流程:

筒丝→整经→上轴穿纱→编织→过磅打戳→入坯布库→配缸→(汽蒸)→除油水洗→预定形→(检验)→染色→脱水→(开幅)→定形→成品测试→成品检验/测长/打卷/过磅→包装→入库。

B.1.6 超薄型经编织物宜采用下列生产工艺流程:

筒丝→整经→上轴穿纱→编织→过磅打戳→入坯布库→配缸→(汽蒸)→除油水洗→预定形→经轴打卷→染色→水洗→柔软处理→经轴退卷→脱水→定形→成品测试→成品检验/测长/打卷/过磅→包装→入库。

B.2 双针床绒类织物生产工艺流程

B.2.1 素织匹染短绒类织物宜采用下列生产工艺流程:

筒丝→整经→上轴穿纱→编织→剖幅→染色→真空吸水→烘干→刷毛→梳毛→剪毛→烫光→成品检验→量长→打卷→过磅→包装→入库。

B.2.2 色织染纱短绒类织物宜采用下列生产工艺流程:

筒丝→松式络筒→筒子染色→筒子烘干→络筒→整经→上轴穿纱→编织→过磅打戳→剖幅→刷毛→梳毛→剪毛→烫光→定形→检验→量长→打卷→过磅→包装→入库。

B.2.3 长绒类(印花拉舍尔毛毯)织物宜采用下列生产工艺流程:

筒丝→整经→上轴穿纱→编织→过磅打戳→剖幅→染色→烘干→印花→蒸化→水洗→烘干→定形→梳毛→剪毛→烫光→(裁断→包边)→检验→包装→入库。

B.3 经编产业用工程织物生产工艺流程

B.3.1 经编无纺复合基布宜采用下列生产工艺流程：

高强涤纶(丙纶)长丝→整经→多轴向经编织造→卷取→检验→无纺布喂入─────────────↑

成卷包装→入库。

B.3.2 经编玻璃纤维土工格栅宜采用下列生产工艺流程：

原料→上纱架→双轴向经编织造→浸渍改性沥青→罗拉压轧
涤纶长丝→整经─────↑

过剩涂料→红外烘燥固化→出布→切割→打卷→包装→入库。

B.3.3 复合土工膜及篷盖布灯箱布宜采用下列生产工艺流程：

1 一布一膜宜采用下列生产工艺流程：

原料→上纱架→双轴向经编织造→基布检验→涂刮→凝胶→
涤纶长丝→整经─────↑

涂刮→塑化→收卷→包装→入库。

2 两布一膜宜采用下列生产工艺流程：

原料→上纱架→双轴向经编织造→基布检验→涂刮→凝胶→
涤纶长丝→整经─────↑

涂刮→复合基布→塑化→收卷→包装→入库。

3 热熔层压(特阔幅防渗土工织物)宜采用下列生产工艺流程：

原料→上纱架→双轴向经编织造→基布(PE等膜)→放卷→
涤纶长丝→整经─────↑

张力平衡→进布→熔烘→冷却→自动卷绕→检验→包装→入库。

附录 C 羊毛衫生产工艺流程

C.0.1 圆机织羊毛衫宜采用下列生产工艺流程：

毛色纱→检验→络纱→编织→密度检验→修补→水洗→脱水→烘干→成衣→整理和成品定形→成品检验→包装→入库。

C.0.2 横机织羊毛衫宜采用下列生产工艺流程：

原料检验→毛纱入库→准备(络纱)→编织工序→衣片检验→成衣加工→检验→(缩绒)→清洗→脱水→烘干→熨烫定形→整理分等→总检→包装→入库。

C.0.3 衣片印花宜采用下列生产工艺流程：

1 台板印花宜采用下列生产工艺流程：

来样审稿(包括图形、颜色和原料成分等)→图形扫描处理→调色→(衣片的清洗)→(整烫)→印花→蒸化→水洗→烘干→返回针织厂。

2 数码印花宜采用下列生产工艺流程：

来样审稿(包括图形、颜色和原料组分等)→图形扫描处理→调色→(衣片的清洗)→(整烫)→上浆→印花→蒸化→水洗→烘干→返回针织厂。

附录 D 织袜和无缝内衣生产工艺流程

D.0.1 棉纱线袜(花袜与素色袜)宜采用下列生产工艺流程：

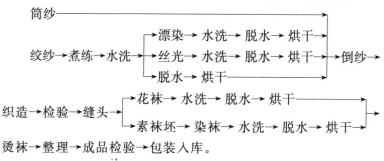

烫袜→整理→成品检验→包装入库。

D.0.2 化纤袜宜采用下列生产工艺流程：

1 锦纶弹力丝袜宜采用下列生产工艺流程：

筒丝→回框成绞↘
绞装原料─────→检验→皂洗→染漂→水洗→脱水→络丝→织造→检验→缝袜头→袜坯检验→皂洗→水洗→脱水→定形→整理→成品检验→包装入库。

2 高弹长筒袜和连裤袜宜采用下列生产工艺流程：

筒装原料→检验→织袜→检验→缝头(连裤袜缝头拼裆)→检验→汽蒸(真空汽蒸机)→预定形→皂洗→染色→柔软处理→复定形→整理→对色→检验→包装→入库。

3 棉线/弹力锦纶丝电脑绣花运动袜宜采用下列生产工艺流程：

原料进厂检验→(纯棉绞纱)煮练→丝光→染色→络纱↘
            →(弹锦绞丝)回框→染色→络丝────→
织袜→检验→缝头→后处理→定形→检验→电脑绣花机上绣花→

下机整理→检验入库。

D.0.3 无缝内衣宜采用下列生产工艺流程：

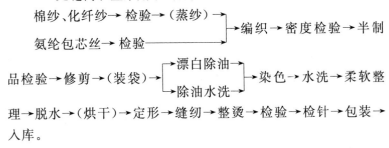

理→脱水→(烘干)→定形→缝纫→整烫→检验→检针→包装→入库。

附录E 主要工艺设备参数

E.0.1 纬编编织主机主要参数可按表 E.0.1 选用。

表 E.0.1 纬编编织主机主要参数

序号	设备名称	规格	机械设计速度（针筒表面线速度）(m/s)	工艺设计速度（针筒表面线速度）(m/s)	效率(%)	停台率(%)	备注
1	单面多针道大圆机	30″	1.2~1.4	0.96~1.12	85~95	4.5	—
2	双面多针道大圆机	30″	1.12~1.4	0.8~0.88	85~95	5	—
3	罗纹机	30″	1.12~1.4	0.88~0.96	85~95	5	—
4	罗纹机	18″	0.84~1.08	0.62~0.84	85~95	5	—
5	毛圈机	30″	0.72~1.0	0.64~0.8	80~90	5	—
6	衬垫单面大圆机	30″	1.0~1.2	0.8~0.96	80~90	4.5	—
7	单面提花大圆机	30″	0.8~1.0	0.64~0.72	80~90	5	—
8	双面提花大圆机	30″	0.8~1.0	0.64~0.72	80~90	5	—
9	电脑调线大圆机	30″	0.72~0.88	0.48~0.64	80~90	5	—
10	毛条喂入式长毛绒机	27″	1.0~1.08	0.79~0.86	80~90	5	—
11	毛纱割圈式长毛绒机	30″	0.64~0.88	0.52~0.72	80~90	5	—
12	计件衣坯机	34″	0.72~0.99	0.59~0.81	80~90	5	引进机型
13	无缝内衣机	14″	1.49~1.9	1.19~1.53	85~95	3	引进机型

E.0.2 经编、整经设备主要参数可按表 E.0.2 选用。

表 E.0.2 经编、整经设备主要参数

序号	设备型号及名称	机械设计速度	工艺设计速度	效率(%)	停台率(%)	装机容量(kW)	备注
1	电脑分段整经机	(0~1000) m/min	(500~750) m/min	50~75	5	15	—
2	弹性纱线整经机	(0~700) m/min	(100~525) m/min	50~75	5	盘头13~22 纱架及牵伸25~27.5	—
3	花经轴整经机	(0~300) m/min	(60~225) m/min	50~75	5	2.6	—
4	两~三梳栉高速特里科型经编机	1500横列/分 3800横列/分	(800~1150)横列/分 3600横列/分	85~93	6~7	11~12	KARL MAYER 经编机
5	四梳栉高速槽针经编机	2400横列/分	2200横列/分	85~93	6~7	11~12	KARL MAYER 经编机
6	四~五梳栉高速槽针贾卡经编机	1500横列/分	1400横列/分	82~90	6~7	12	KARL MAYER 经编机
7	多梳栉高速槽针经编机	900横列/分	(600~800)横列/分	80~85	8	5.5	—
8	毛圈经编机	600横列/分	(500~600)横列/分	85~93	6~7	6.6	—
9	贾卡拉舍尔提花经编机	175横列/分	(100~130)横列/分	80~85	8	5.5	—
10	双针床经编机	500横列/分	(360~400)横列/分	80~85	8	两梳17 六梳28	—
11	编缝机	(433~756) r/min	(476~687) r/min	80~85	8	3.0	—
12	双轴向衬纬经编机	(750~800) r/min	(600~680) r/min	80~85	8	28	—

E.0.3 羊毛衫生产设备主要参数可按表E.0.3选用。

表E.0.3 羊毛衫生产设备主要参数

序号	设备名称	机械设计速度	工艺设计速度	效率(%)	停台率(%)
1	全自动电脑横机	(1.1~1.3)m/s	(0.9~1.2)m/s	85	2
2	普通电动横机	(0.5~1.6)m/s	(0.5~1.36)m/s	85	2
3	合缝机	(100~1400)r/min	(12~20)件/台、班	—	—
4	各式摆缝缝合机	(2000~3000)r/min	—	—	—
5	成衫染色机	(30~300)kg/次	(20~200)kg/次	—	—
6	缩绒机	(30~300)kg/次	(20~200)kg/次	—	—
7	烘干机	(20~200)kg/次	(20~200)kg/次	—	—
8	普通蒸烫定形机	—	(80~120)件/台、班	—	—
9	自动蒸烫定形机	—	(500~800)件/台、班	—	—
10	小型毛衫拉毛机	—	(60~100)件/台、班	—	—
11	全自动洗缩联合机	(50~300)kg/次	—	—	—

E.0.4 袜品编织主机主要参数可按表E.0.4选用。

表E.0.4 袜品编织主机主要参数

序号	设备名称	机械设计速度	工艺设计速度	效率(%)	停台率(%)	装机容量(kW)	备注
1	无边筒子络丝机	(148~228)m/min	(150~190)m/min	75~85	4~6	3.0	—
2	全电子程序控制平纹高弹长筒袜机	(900~1500)r/min	(750~1200)r/min	80~85	2	—	意大利罗纳地(LONATI)
3	电子选针提花高弹长筒袜机	(750~1200)r/min	(650~1020)r/min	80~85	2	—	意大利罗纳地(LONATI)

续表 E.0.4

序号	设备名称	机械设计速度	工艺设计速度	效率(%)	停台率(%)	装机容量(kW)	备注
4	绣花袜机	(100~180)r/min	(100~175)r/min	80~85	2	0.25~0.4	—
5	添纱绣花袜机	(180~200)r/min	(185~190)r/min	80~85	2	0.25~0.37	风机0.55kW
6	提花袜机	(150~400)r/min	(120~350)r/min	80~85	2	0.25~0.4	—
7	添纱提花毛巾运动袜机	(180~240)r/min	(150~205)r/min	80~85	2	0.4/0.25	—
8	毛巾运动袜机	(180~320)r/min	(150~250)r/min	80~85	2	0.4/0.25	—
9	双针筒袜机	(120~380)r/min	(100~320)r/min	85~90	2	0.4/0.6	—
10	双针筒提花袜机	(110~350)r/min	(90~300)r/min	85~90	2	0.7/0.5	—
11	中长筒女袜机	250r/min	(230~245)r/min	80~85	2	0.4	—
12	缝袜头机	(250~350)r/min	(240~330)r/min	75~80	1	0.8	—
13	全自动五指袜机	(250~360)双/日	(200~280)双/日	75~80	2	0.25	—
14	自动线性袜尖缝合机	(350~800)打/h	(280~650)打/h	75~80	1	2.1~2.4	—
15	连裤袜缝自动缝制联合机	(350~400)打/h	(280~320)打/h	75~80	1	2.9	—
16	袜腰罗纹机	(130~150)r/min	(135~145)r/min	80~85	1.5	0.4	—

E.0.5 袜品染整主机主要参数可按表 E.0.5 选用。

表 E.0.5 袜品染整主机主要参数

序号	设备名称及规格	容量	机械设计速度 (r/min)	工艺设计速度 (r/min)	效率 (%)	停台率 (%)	装机容量 (kW)
1	滚筒式染袜机	(30～40) kg/缸	—	—	85～90	6	2.2
2	边浆式染袜机	(10～20) kg/缸	—	—	85～90	6	0.6
3	顶浆式染袜机	(4～5) kg/缸	—	—	85～90	6	0.2
4	底浆式染袜机	(10～15) kg/缸	—	—	85～90	6	0.3
5	高岛 TKD 型染袜机	(45～90) kg/缸	—	—	85～90	6	2.9～5.9
6	芦田 S 型染袜机	(12～100) kg/缸	—	—	85～90	6	0.74～2.2
7	ME82 立式袜子定形机	120 双/台次	—	—	75～80	5	5.36
8	Z912 袜子定形机	(135～270) 双/台次	—	—	75～80	5	11.50
9	ME541 回转式袜子定形机	—	—	—	75～80	5	1.35
10	全自动旋转式长筒连裤袜蒸汽定形机	(80～320) 打/h	—	—	75～80	5	9.5
11	高岛 TAS 型短筒袜定形机	(375～962) 打/h	—	—	75～80	5	5.7～7.7
12	高岛 TAS 型长筒袜定形机	(407～1366) 打/h	—	—	75～80	5	3.5～8.5
13	芦田长筒袜和连裤袜定形机	(400～2540) 打/h	—	—	75～80	5	7.9～21.3

E.0.6 染整主机主要参数可按表 E.0.6 选用。

表 E.0.6 染整主机主要参数

序号	设备名称	容量（kg/缸）	机械设计速度（m/min）	工艺设计速度（m/min）	效率（%）	停台率（%）	备注
1	筒状烧毛机	—	0～120	60～80	85～90	6	—
2	平幅烧毛机	—	0～125	80～120	85～90	6	—
3	筒状丝光机	—	7～25	10～20	75～85	6	—
4	平幅丝光机	—	0～50	20～40	75～85	6	—
5	针织缩布机	—	0～30	20	85～90	4.5	—
6	经轴打卷机	—	2.5～100	60～80	75～85	6.5	—
7	高温煮漂机	367～2074	—	—	75～80	6	—
8	连续漂白机	—	10～40	20～30	75～80	6.5	—
9	离心脱水机	100～150	—	—	70～80	6	—
10	常温染色机	120～3000	—	—	85～90	6	—
11	高温染色机	80～3360	—	—	85～90	6	—
12	常温常压溢流染色机	120～3000	—	—	85～90	6	—
13	高温高压溢流染色机	80～3360	—	—	85～90	6	—
14	常温常压气流染色机	200～1500	—	—	80～85	6	—
15	高温高压气流染色机	50～1800	—	—	80～85	6	—
16	常温常压毛巾染色机	200～1000	—	—	85～90	4.5	—
17	高温高压毛巾染色机	360～2400	—	—	80～85	6	—
18	特种高温毛巾染色机	350～2000	—	—	85～90	6	—

续表 E.0.6

序号	设备名称	容量（kg/缸）	机械设计速度（m/min）	工艺设计速度（m/min）	效率（%）	停台率（%）	备注
19	常温喷射染色机	50～400	—	—	85～90	6	—
20	高温喷射染色机	50～300	—	—	85～90	6	—
21	溢流喷射染色机	50～200	—	—	80～85	4.5	—
22	小样染色机	1～2	—	—	60～70	6	—
23	中样染色机	4～20	—	—	60～65	6	—
24	双环高速染色机	200～1600	—	—	85～90	6	—
25	多环松式染色机	80～3200	—	—	85～90	6	—
26	高速染色机	20～880	—	—	85～90	6	—
27	高温柔顺染色机	250～1000	—	—	80～85	6	—
28	高温织物经轴染色机	48～1000	—	—	80～85	6	—
29	退捻开幅脱水机	—	10～40	20～30	75～80	10	—
30	圆筒织物热定形机	—	3～20	10～20	75～80	11	—
31	圆筒织物开幅机	—	40、50、70	—	75～80	6	—
32	圆筒织物烘干机	40	—	—	75～80	11	—
33	圆筒织物验布机	—	15、18、20	—	70～75	5	—

续表 E.0.6

序号	设备名称	容量（kg/缸）	机械设计速度（m/min）	工艺设计速度（m/min）	效率（%）	停台率（%）	备注
34	卧式翻布机	—	170	—	85~90	6	—
35	圆筒织物剖幅机	—	40、50、70	—	75~80	6	—
36	平幅热定形机	—	10~40	20~30	75~80	8	—
37	圆网印花机-180、220、280	—	5~80	30~40	80~85	10	—
38	平网印花机-180、220、280	—	5~40	10~20	80~85	10	—
39	网印热风烘燥机	—	5~40	10~20	80~85	10	—
40	长环蒸化机	—	5~30	20	80~85	10	—
41	衣片印花机	—	—	—	80~85	6	14片/min
42	印花后水洗机	—	12~30	20	75~80	6.5	—
43	松式烘干机	—	5~100	10~30	75~80	6.5	—
44	钢针拉毛机	—	10.9~12.8	10	85~90	6	—
45	钢丝起毛机	—	15、25		85~90	6	—
46	起毛剪毛联合机	—	15、25		85~90	6	—
47	多功能超柔软磨毛机	—	10~40	20~30	75~80	6	—
48	联合磨毛机	—	5~35	20~30	75~80	6	—
49	人造毛皮剪毛机	—	2.2、3.8		75~80	5	—
50	人造毛皮烫光机	—	3~12	10	75~80	11	—

续表 E.0.6

序号	设备名称	容量 (kg/缸)	机械设计速度 (m/min)	工艺设计速度 (m/min)	效率 (%)	停台率 (%)	备注
51	三辊轧光机	—	5～50	20～30	75～80	6.5	—
52	烫光机	—	10～30	20	75～80	6.5	—
53	拉幅定形机	—	2.5～150	10～30	75～80	6.5	—
54	单层预缩烘干机	—	—	—	75～80	6	(190～1300) kg/h
55	针织成衣热定形机	—	—	—	75～80	6	(100～120) 件/h
56	整纬轧光机	—	10～60	20～30	75～80	6.5	—
57	拉针开幅挤缩机	—	4～45	20～30	50～60	6.5	—
58	双面呢毯预缩机	—	5～25	10～20	75～80	6.5	—
59	平幅呢毯预缩机	—	5～45	10～25	75～80	6.5	—
60	平幅无张力验布机	—	0～60	20～30	75～80	10	—
61	验布卷布机	—	0～31	20	75～85	10	—
62	全自动打包机	—	—	—	75～80	10	(5～7) 卷/min
63	喷射式圆网烘燥机	—	15～45	—	75～80	6.5	只适用于经编
64	浸轧烘燥联合机	—	15～45	—	75～80	6.5	只适用于经编
65	经编织物热定形机	—	15～40	—	50～60	11	—
66	纱线烧毛机	—	200～1200	520～800	85～90	6	72锭
67	纱线丝光机	250～1200	—	—	10～18	6	—

续表 E.0.6

序号	设备名称	容量(kg/缸)	机械设计速度(m/min)	工艺设计速度(m/min)	效率(%)	停台率(%)	备注
68	倒筒角机	—	—	—	90	5.3	30个/min
69	筒子纱(高温)染色机	50~2500	—	—	85~90	6	—
70	筒子烘燥机	50~2000	—	—	85~90	5.3	—
71	筒子脱水烘燥机	50~2500	—	—	85~90	5.3	—
72	射频烘干机	200~1000	—	—	90	6	—
73	绞纱喷染机	80~500	—	—	70~80	6	—

附录F 针织生产各工序的损耗率

F.0.1 纬编生产各工序的损耗率可按表F.0.1选用。

表F.0.1 纬编生产各工序的损耗率

坯布品种	络纱(%)	编织(%)	染整(%)	成衣裁断(%)	
汗布	本色纱0.15~0.6,色纱0.2~0.4,化纤0.4~0.8	精梳棉纱1.5~2,普梳棉纱2~2.5	漂白6.7~7.8,染色2~4.6	4	
棉毛布			漂白6.7~7.8,染色3.3~6	4.5	化纤7
厚绒布			染色4~6,起绒5.2~8	4.1	
薄绒布			染色3~5,起绒5.2~8	4.4	
罗纹布			5~6	3.5	
真丝织物	0.8	0.3~0.6	深色20,浅色21~21.5,特白23~24	6~8	
圆机织羊毛衫	精梳毛纱1.5~2,粗梳毛纱3~4		洗缩绒2	5~7	

注:1 横机织羊毛衫络纱、编织及后整理工序损耗率与圆机织羊毛衫相同,但不设裁剪工序。

2 表中的工序损耗,未将因纱线回潮率达不到公定回潮率而构成的重量差异率包含在内,各地区应根据纱线的实际回潮率差异计算首道工序的损耗。

F.0.2 经编生产各工序的损耗率可按表F.0.2选用。

表 F.0.2 经编生产各工序的损耗率

坯布品种	整经(%)	编织(%)	染整(%)
加白产品	0.4~0.8	0.09~0.12	2.5~3
染色产品			4~5
弹性产品			4~5
拉毛布产品			4.5~5
磨毛布			7~8
剪毛布			10~12

注：表中的工序损耗，未将因纱线回潮率达不到公定回潮率而构成的重量差异率包含在内，各地区应根据纱线的实际回潮率差异计算首道工序的损耗。

F.0.3 织袜生产各工序的损耗率可按表 F.0.3 选用。

表 F.0.3 织袜生产各工序的损耗率

袜品类别	络纱(%)	机头和织罗口(g/10双)	织造(%)	缝头(g/10双)	漂染(%)
棉纱线袜	1.1	11.12	1.13	10.5	0.6(煮练4.7)
锦纶弹力丝袜	0.85	2.36	2.79	11.2	0.3
锦纶丝袜	—	3.78	1.23	12.4	2.0

注：表中的工序损耗，未将因纱线回潮率达不到公定回潮率而构成的重量差异率包含在内，各地区应根据纱线的实际回潮率差异计算首道工序的损耗。

附录 G 主要工艺设备排列尺寸

G.0.1 纬编圆机(伞形纱架)排列尺寸可按表 G.0.1 选用。

表 G.0.1 纬编圆机(伞形纱架)排列尺寸(m)

设备名称	车间通道		两机纱架间距	两列挡车操作面宽	纱架间距
	设在车弄	设在靠墙			
棉毛机	1.8~2.3	2.0~2.5	0.35	0.8~1.2	0.6~1.0
单双面大圆机	1.8~2.3	2.5~3.0	0.2~0.6	1.2~1.8	0.8~1.0
罗纹机	1.5~1.8	2.0~2.5	0.2~0.4	1.1~1.4	1.0~1.2

G.0.2 纬编圆机(落地纱架)排列尺寸可按表 G.0.2 选用。

表 G.0.2 纬编圆机(落地纱架)排列尺寸(m)

设备名称	车间通道		相邻两列纱架端距	挡车操作面宽	纱架面距墙
	设在车弄	设在靠墙			
单双面大圆机	2.0		2.2~2.5	0.9~1.1	0.7~1.0

G.0.3 经编机排列尺寸可按表 G.0.3 选用。

表 G.0.3 经编机排列尺寸(m)

设备名称	车间通道		两机间距			机器与墙面距离		
	在车弄间	运输通道	挡车操作	换盘头车弄	车头与车尾	车头	车尾	后车弄
KS系列经编机	1.8~2.0	2.0~2.2	0.8~1.0	2.0~2.5	0.8~1.25	1.2~1.6	0.8	2.0~2.3
多梳栉经编机	1.8~2.0	2.0~2.2	0.8~1.0	2.0~2.5	0.8~1.25	1.2~1.6	0.8	2.0~2.3
双针床经编机	1.8~2.0	2.0~2.2	0.8~1.0	2.0~2.5	0.8~1.25	1.2~1.6	0.8	2.0~2.3
提花经编机	—	—	纱架后与墙面2m~3m,机器侧面与墙面或两机之间0.8m~1.0m,机头通道1.8m~2m或机头与墙面3m~4m					

G.0.4 整经机排列尺寸可按表 G.0.4 选用。

表 G.0.4 整经机排列尺寸(m)

设备名称	运输通道	纱架后与墙面距离	机器侧面与墙面或两机之间	机头与墙面距离
整经机	2.0～2.2	3.0～4.0	0.8～1.0	3.0～4.0

G.0.5 横机排列尺寸可按表 G.0.5 选用。

表 G.0.5 横机排列尺寸(m)

设备名称	运输通道	两机端面距离	两列横机操作距离	机器与墙面距离
电脑横机	1.6～2.0	1.0	1.0～1.4	1.0

G.0.6 单针筒袜机排列尺寸可按表 G.0.6 选用。

表 G.0.6 单针筒袜机排列尺寸(mm)

名称	排列尺寸	备注
两相邻机台横向距离	200～300	—
相邻两排袜机背向距离	300～500	—
挡车操作通道宽度	800～1200	—
运输通道宽度	1500～1800	非运输通道为 800
机侧与墙中心距离	主通道 1500～2500	非主通道为 1000～1500

注：织袜主机各机型外形尺寸长度为 700mm～1000mm，宽度为 670mm～970mm。现以单针筒绣花袜机为例列出排列间距，其余机型进行工艺设备布置时可按此执行。

G.0.7 缝纫机相对式排列尺寸可按表 G.0.7 选用。

表 G.0.7 缝纫机相对式排列尺寸(mm)

名称	排列尺寸	备注
缝纫机台板长度	1200～1300	—
缝纫机台板宽度	550～650	—
相对两机台板间距	400～450	—
两条流水线之间台板距离	2500～3000	含两边操作占地面积

续表 G.0.7

名　　称	排列尺寸	备　　注
缝纫机台板操作面与墙之间距离	1500～2000	含操作占地和通道
缝纫机台板端面与墙之间距离	2000～2400	主通道
缝纫机台板端面与墙之间距离	1200～1500	一般通道
缝纫机台板端面与墙之间距离	600～800	非通道

G.0.8 缝纫机课桌式排列尺寸可按表 G.0.8 选用。

表 G.0.8 缝纫机课桌式排列尺寸(mm)

名　　称	排列尺寸	备　　注
缝纫机台板长度	1200～1300	—
缝纫机台板宽度	550～600	—
操作弄	1200～1300	—
运输弄	2000～2500	主通道
缝纫机台板操作面与墙之间距离	1500～2000	—
缝纫机台板端面与墙之间距离	800～1200	—

G.0.9 裁剪及熨烫设备排列尺寸可按表 G.0.9 选用。

表 G.0.9 裁剪及熨烫设备排列尺寸(m)

名称	两机间距		设备与墙面距离			其他间距
	机前弄	机后弄	机前	机尾	机身	
裁剪台	1.6～2.0	—	2.4～3.0	1.6～2.4	1.2～1.8	两排裁剪台端尾间距 2.0～2.4
熨烫台	1.8～2.4	0.5～0.8	0.8～1.2	0.8～1.2	0.8～1.2	两台侧间距 0.5～0.8
熨烫机	1.8～2.4	0.5～0.8	1.0～1.6	1.0～1.6	1.0～1.6	两机侧间距 0.5～0.8

附录 H 中心试化验室仪器设备配置

表 H 中心试化验室仪器设备配置

检验仪器名称		台数
纤维纱线类	缕纱测长仪	1
	数字式捻度机	1
	单纱强力仪或全自动强力仪	1
	条干均匀度仪	1
	纱疵分析仪	1
	八蓝恒温烘箱	4
	摇黑板仪	2
织物面料类	多功能织物强力仪	1
	织物起毛起球仪	1
	滚箱起球仪	1
	马丁旦尔耐磨仪（织物平磨仪）	1
	织物折皱弹性仪	1
	织物密度镜	4
	数字式织物厚度仪	1
	天平	4
	数字式透气量仪	1
	平板式保温性能测试仪	1
染整类	日晒牢度仪	1
	摩擦牢度仪	1
	耐洗色牢度仪	1

续表 H

	检验仪器名称	台数
染整类	耐熨烫、升华牢度仪	1
	耐汗渍牢度仪	1
	汽蒸收缩测试仪	1
	AATCC标准缩水率试验机(标准洗衣机)	1
	标准光源箱	1
	pH值测定仪	1
	振荡器	1
	转笼烘干机	1
	分光光度计	1

注:1 仪器可根据企业检测项目增减或合并。
  2 本表不含车间试化验室的仪器。
  3 本表仪器选型以国产为主,企业可根据自身需要选择。

附录 J 生产车间温湿度参数

表 J 生产车间温湿度参数

车间			夏季		冬季	
			温度(℃)	相对湿度(%)	温度(℃)	相对湿度(%)
纬编	络筒		30～32	65～70	>18	60～70
	络丝(真丝)		28～32	60～70	18～20	60～70
	编织	棉	30～32	65～70	>18	60～70
		毛	30～32	65～70	>18	60～70
		真丝	28～30	70～75	18～20	70～75
		化纤	26～28	65～70	>20	60～70
经编	整经		28～30	65～70	>20	65～70
	编织	棉	28～30	60～65	>20	60～65
		化纤	26～28	60～65	>20	60～65
羊毛衫	络纱、编织		30～32	65～70	>18	65～70
	缝合		≤32	60～70	>18	55～60
织袜			28～30	65～70	>20	60～65
成衣			≤32	60～70	>18	55～60

本规范用词说明

1 为便于在执行本规范条文时区别对待，对要求严格程度不同的用词说明如下：
　　1）表示很严格，非这样做不可的：
　　　　正面词采用"必须"，反面词采用"严禁"；
　　2）表示严格，在正常情况下均应这样做的：
　　　　正面词采用"应"，反面词采用"不应"或"不得"；
　　3）表示允许稍有选择，在条件许可时首先应这样做的：
　　　　正面词采用"宜"，反面词采用"不宜"；
　　4）表示有选择，在一定条件下可以这样做的，采用"可"。

2 条文中指明应按其他有关标准执行的写法为："应符合……的规定"或"应按……执行"。

引用标准名录

《建筑结构荷载规范》GB 50009
《混凝土结构设计规范》GB 50010
《建筑抗震设计规范》GB 50011
《建筑给水排水设计规范》GB 50015
《建筑设计防火规范》GB 50016
《钢结构设计规范》GB 50017
《工业建筑供暖通风与空气调节设计规范》GB 50019
《厂矿道路设计规范》GBJ 22
《湿陷性黄土地区建筑规范》GB 50025
《城镇燃气设计规范》GB 50028
《压缩空气站设计规范》GB 50029
《锅炉房设计规范》GB 50041
《工业建筑防腐蚀设计规范》GB 50046
《建筑物防雷设计规范》GB 50057
《爆炸危险环境电力装置设计规范》GB 50058
《工业企业噪声控制设计规范》GB/T 50087
《火灾自动报警系统设计规范》GB 50116
《建筑灭火器配置设计规范》GB 50140
《工业企业总平面设计规范》GB 50187
《建筑物电子信息系统防雷技术规范》GB 50343
《建筑工程建筑面积计算规范》GB/T 50353
《建筑与小区雨水利用工程技术规范》GB 50400
《纺织工业企业环境保护设计规范》GB 50425
《印染工厂设计规范》GB 50426

《纺织工业企业职业安全卫生设计规范》GB 50477
《纺织工程设计防火规范》GB 50565
《消防给水及消火栓系统技术规范》GB 50974
《生活饮用水卫生标准》GB 5749
《工业企业煤气安全规程》GB 6222
《设备及管道绝热设计导则》GB/T 8175
《防止静电事故通用导则》GB 12158
《工业企业厂界环境噪声排放标准》GB 12348
《电能质量　公用电网谐波》GB/T 14549
《纺织业卫生防护距离　第1部分：棉、化纤纺织及印染精加工业》GB 18080.1

中华人民共和国国家标准

针织工厂设计规范

GB 51112-2015

条 文 说 明

制订说明

《针织工厂设计规范》GB 51112—2015,经住房城乡建设部2015年5月11日以第817号公告批准发布。

本规范制订过程中,编制组对国内部分有代表性的针织生产企业进行了调查研究,总结了我国针织工厂设计中的实践经验,同时积极采纳了国内外针织行业的先进技术,开展了必要的技术研讨,并广泛征求了有关单位的意见,最后经有关部门共同审查定稿。

为便于针织工厂的建设、规划、设计、施工和监督等部门的有关人员在使用本规范时能正确理解和执行条文规定,本规范编制组按章、节、条顺序编制了本规范的条文说明,对条文规定的目的、依据及执行中需注意的有关事项进行了说明,还着重对强制性条文的强制性理由作了解释。但是,本条文说明不具备与规范正文同等的法律效力,仅供使用者作为理解和把握规范的参考。

目 录

1 总 则 ……………………………………………… （85）
3 工艺设计 ……………………………………………… （86）
　3.1 一般规定 ……………………………………… （86）
　3.2 工艺流程 ……………………………………… （86）
　3.3 设备选择与配置 ……………………………… （87）
　3.4 设备布置 ……………………………………… （87）
　3.5 生产辅助设施 ………………………………… （88）
　3.6 车间运输 ……………………………………… （88）
4 总图运输 …………………………………………… （90）
　4.1 一般规定 ……………………………………… （90）
　4.2 总平面布置 …………………………………… （90）
　4.3 竖向设计 ……………………………………… （92）
　4.4 厂区管线 ……………………………………… （93）
　4.5 厂区道路 ……………………………………… （93）
　4.6 厂区绿化 ……………………………………… （93）
　4.7 主要技术经济指标 …………………………… （94）
5 建 筑 ……………………………………………… （95）
　5.1 一般规定 ……………………………………… （95）
　5.2 生产厂房 ……………………………………… （95）
　5.3 建筑防火、防腐 ……………………………… （96）
　5.4 生产辅助用房 ………………………………… （96）
　5.5 主要建筑构造 ………………………………… （96）
6 结 构 ……………………………………………… （98）
　6.1 一般规定 ……………………………………… （98）

6.2	结构布置及选型	(98)
6.3	设计荷载	(99)
6.4	结构计算	(99)
6.5	抗震构造设计要求	(99)
6.6	抗震构造措施	(100)
6.7	地基基础	(100)

7 给水排水 …………………………………………… (101)
  7.1 一般规定 ………………………………………… (101)
  7.3 用水量、水压和水质 …………………………… (101)
  7.4 给水系统和管道布置 …………………………… (101)
  7.5 消防给水和灭火设施 …………………………… (102)
  7.6 排水系统和管道布置 …………………………… (102)
  7.7 废水处理与回用 ………………………………… (102)

8 供暖通风与空调除尘 ……………………………… (103)
  8.1 一般规定 ………………………………………… (103)
  8.2 供暖 ……………………………………………… (103)
  8.4 空调 ……………………………………………… (104)
  8.5 除尘 ……………………………………………… (104)

9 电 气 …………………………………………… (105)
  9.1 一般规定 ………………………………………… (105)
  9.2 供配电系统 ……………………………………… (105)
  9.3 照明 ……………………………………………… (107)
  9.4 防雷与接地 ……………………………………… (108)
  9.5 火灾自动报警 …………………………………… (108)

10 动 力 ………………………………………… (109)
  10.1 一般规定 ……………………………………… (109)
  10.2 蒸汽供热系统 ………………………………… (109)
  10.3 蒸汽凝结水回收和利用 ……………………… (110)
  10.4 导热油供热系统 ……………………………… (110)

10.5　燃气 ……………………………………………………（111）
　　10.7　制冷 ……………………………………………………（111）
11　仓　　储 ………………………………………………………（112）
　　11.1　一般规定
　　11.2　原料库、半成品库、成品库 ……………………………（112）
12　职业卫生 ………………………………………………………（113）

1 总 则

1.0.1 本规范制定的目的是推进针织工厂工程设计工作的标准化和规范化,促进我国针织工厂建设水平的不断提高。规范制定的基础是国家现行的法律法规、生产实践经验和科学技术发展的新成果。

1.0.2 针织产品种类较多、生产流程较长,本规范除适用于全能针织厂的工程设计外,也可用于单独的针织产品生产车间的工程设计工作。

1.0.3 针织工厂设计是一个系统工程,在设计工作中,除应符合本规范外,还应符合国家现行的法律、法规、标准和规范的有关规定。

3 工艺设计

3.1 一般规定

3.1.1 针织工厂因生产方式和产品不同,生产车间的组成也不同。纬编、经编全能厂一般应有编织、染整、成衣(成品加工)三个生产车间,羊毛衫厂应有编织、成衣、染整三个生产车间,织袜厂应有编织、染整两个生产车间,无缝内衣厂应有编织、缝制、染整三个生产车间。

3.1.2 针织产品品种多、变化快,在保证技术先进性的同时,在工艺流程和主机设备的选择上还应兼顾品种的适应性和生产的灵活性,以满足产品质量、产量和品种变换的要求。

3.1.3 车间布置除应满足生产工艺流程的要求,做到设备布置合理、流程顺畅、半制品运输路线最短外,还应根据厂房形式,选择合适的柱网尺寸,并综合考虑与各项公用工程设施及其他附属设施的关系,做到既方便生产,又经济实用。

3.1.4 针织产品生产涉及编织、染整、成衣等多道工序,对公用工程的种类需求较多,应根据不同的生产特性,配置相应的公用工程设施,以保证生产的进行。

3.2 工艺流程

3.2.1 每种产品都有其特定的技术要求,应根据不同产品所选用的原料、织物组织结构及其他技术要求,确定相应的工艺流程。同时,还应考虑工艺流程和设备对市场需求的适应性,对原料和产品的灵活调整和应变的能力。在保证产品质量的前提下,提倡采用高效、短流程工艺,采用新技术、新设备,减少能源消耗,降低生产成本。针织产品种类较多,加工方式各异,特别是全能针织厂生产流程较长,应特别注意前后工序之间在设备和生产能力方面的配套,满足产品的生产要求。

3.3 设备选择与配置

3.3.1、3.3.2 在设备选用时,应参照国家颁布的有关指导性文件,所选设备在满足加工产品技术要求的同时,还应具有较高的技术水平,以保证设计的先进性。

3.3.3 选择智能型、大卷装、定长卷绕和短流程的工艺及辅助设备,有利于提高产品质量、降低消耗、减轻劳动强度和提高劳动生产率,是现代纺织生产技术的发展方向。

3.3.4 针织工厂的染整工序在生产中需要使用大量的蒸汽和水,应选用低浴比的节水型设备。在工厂设计时应设计冷却水、冷凝水、余热回收系统,节约水资源,实现节能减排。

3.3.5 应以织物规格及织造设备的实际产量和台数为依据,结合各种设备的参数,计算其他加工设备的实际产量和设备台数。编织工序因产品品种不同,产量会有所变化,适当的加大染整加工能力,可增强整条生产线的适应能力。

3.4 设备布置

3.4.1 合理的工艺设备排列,一方面可保证工艺流程的顺畅,另一方面可有效地降低挡车工的劳动强度,同时还关系到车间的柱网尺寸与外形尺寸,对土建造价产生直接影响。

3.4.2 工艺设备的排列除应满足生产工艺的要求外,还应兼顾其他专业的要求。

3.4.4 对生产环境差异较大、温湿度要求不同的生产车间和工序,应分隔开布置。另外,在针织厂实际生产中,为减少生产过程中的飞花影响,生产不同原料的产品时,一些有条件的企业将每台编织机均单独隔开,以保证产品质量。

3.4.5 车间内工艺设备的排列方式直接影响到生产流程是否顺

畅、生产效率的高低及工人的劳动强度,对整个生产过程都将产生较大影响,需经多方案比较,择优选定。

3.4.6 为避免相互影响,便于管理,染整工序中的干、湿设备宜隔开或分开布置。拉毛机等在生产中有飞尘产生的设备应单独隔开布置,并应配置相应的除尘设施。

3.4.7 向外排湿热气体的设备宜靠近车间外墙布置,如不能靠近车间外墙布置,可在做好屋面防水的前提下,通过车间屋顶开洞排气。

3.4.8 在多层厂房中,重量大、振动大、基础复杂的设备若布置在楼上,会造成土建造价的上升,加大设备安装难度。

3.5 生产辅助设施

3.5.1 生产辅助设施应根据企业规模及生产组织形式等条件确定,所需生产辅助设施的设置,可以结合企业实际需要进行增减、合并,可灵活掌握。

3.5.2 各类辅助生产设施对生产的正常进行起着重要的保障作用,在车间整体布局时,对这类设施的位置应做全盘考虑,做到布局合理、使用方便。

全能针织厂生产流程长、工序多,生产车间内应有专门存放原料、半成品、成品的区域,存放区可设在车间附房内,也可直接设在机台附近,以方便使用为原则。

纱线在上机使用之前,一般要在与编织车间相同的温湿度环境下存放24h,可降低断头率,提高工作效率和产品质量。

3.5.3 针织工厂试化验室的设置和仪器设备的配置应根据工厂的规模、产品的种类等情况确定,对于规模较小的工厂可将车间试化验室与厂中心试化验室合并设置。

3.6 车间运输

3.6.1 针织工厂各工序生产性质、车间环境差别较大,使用的运输工具也不同,需根据具体情况分别确定。运输工具还应方便使用、保证安全。

3.6.2 经编车间吊经轴可选用上经轴机。

3.6.3 多层厂房应设专用货梯,货梯规格、数量应根据生产规模、厂房条件、运输量等因素具体确定。

4 总图运输

4.1 一般规定

4.1.1 针织厂的总图布置应在厂区所在地的规划部门提供的控制性详细规划的基础上,根据生产规模、工艺流程、交通运输及分期建设的需要合理安排,并应符合国家有关节约土地、环境保护、防火、防爆、防洪及安全卫生等规定。为节约土地,《工业项目建设用地控制指标》国土资发〔2008〕24号文中明确规定了工业项目建设用地的五个控制指标:投资强度、容积率、建筑系数、绿地率、行政办公及生活服务设施用地所占比重。本控制指标对新建工业项目应严格执行,对改、扩建工业项目可参照执行。该控制指标要求针织厂的容积率≥0.8,建筑系数不应小于30%,绿地率不得超过20%,行政办公及生活服务设施用地面积不得超过工业项目总用地的7%。在实际操作中,各地又对控制指标做了具体规定,在设计工作中应贯彻执行。

4.1.2 应充分了解工厂所在地区的自然条件,如:地形、地势、工程地质及水文条件、常年主导风向及50年一遇的最高洪水位,以及控制性详细规划对环境保护、交通运输、管线接口、雨水、排放、供热、供汽、供电等的设计要求;并熟悉生产工艺流程,依据可靠的建厂基础资料来进行总图布置,并应进行多方案技术经济指标比较,择优确定总图方案。

4.1.3 应到工厂所在地的规划部门充分了解厂外的供水、供电、通信、供汽、交通运输及污水、雨水排放等情况,做到总图布置与厂外诸设施密切配合、有序衔接、充分利用,优选最佳的总图方案。

4.2 总平面布置

4.2.1 总平面布置要结合建厂的自然条件和厂外配套设施情况,

做到工艺流程合理、物料运输顺畅、布局紧凑、节约用地、节省投资、经济合理,考虑绿化,提高环境质量,创造良好的生产条件和整洁的工作环境。应合理划分功能分区,如生产区主要由生产厂房为主,动力区主要由厂区变配电室、软化水站、压缩空气站、冷冻站、消防泵房、锅炉房等组成,库区分为原料库、成品库、染化料库及机物料库等。在总图布置中,动力区宜靠近生产厂房,使管线短捷,降低能耗,节约资源。建(构)筑物等设施宜集中、联合、多层布置,可减少建(构)筑物间距和占地面积,并减少物料运输距离。总平面布置应考虑企业近、远期发展目标,近期工程和远期工程要相协调,根据企业总体规划预留发展用地。近期工程应集中紧凑布置,节约投资。

4.2.2 本条对漂练、染整厂房平面布置做了具体规定。

1 在寒冷、严寒地区采用锯齿形厂房,宜采用偏南朝向,因设备生产排出湿热蒸汽,冬季车间内湿度大,会出现积雾、滴水现象,影响产品质量。采用锯齿朝南的布置,结合设备选型、空调地送风、上排风及建筑保温等措施可有效解决冬季积雾、滴水等问题。夏热冬暖地区室外平均温度在 0℃ 以上,室内外温差小,冬季积雾、滴水现象较轻,采用锯齿朝北,采光均匀,可避免眩光产生。

2 气楼式厂房利用气楼侧窗采光,宜选用较好的朝向,利用排汽井排汽、排雾。

4 根据这类厂房生产时会产生雾气、滴水现象的特点,厂房平面应具有良好的朝向、采光和自然通风条件。

4.2.3 本条对仓库布置做了具体规定。

4 危险品库主要贮存保险粉(连二亚硫酸钠)、红矾、氯酸钠等易燃、易爆或有刺激性气味的物品。

4.2.4 本条为针对动力区建(构)筑物在总平面布置中的规定。

1 为了避免或减少锅炉在运行过程中产生的烟尘对厂区的污染,应将锅炉房布置在厂区全年最小频率风向的上风侧,并宜靠近热负荷中心。

3 空压机吸入的空气要求洁净,压缩空气站应远离有有害气体及粉尘的场所,保证新鲜空气流通,故宜布置在全年最小频率风向的下风侧。当压缩空气站布置在车间附房内时,也应满足上述要求。

4.2.5 行政办公和生活服务设施使用性质相同,可统筹布置在一个区,但应相互独立。该区域宜布置在厂区全年最小频率风向的下风侧,还应满足《工业项目建设用地控制指标》和当地规划部门的要求,控制该区域的用地面积。

4.3 竖向设计

4.3.1 厂区竖向设计主要考虑厂址的自然地形、工程地质、生产工艺、运输、防洪、排水、管线敷设、土石方工程等因素,这些因素有时相互矛盾和制约,需认真综合考虑,方可确定场地标高。

4.3.3 竖向设计宜首选平坡式。平坡式竖向布置有利于建筑物及综合管线的布置,具有运输物流便捷顺畅等优点。但在山区及丘陵地带及自然地形高差较大的地区,难以实现平坡式布置,只能采用阶梯式竖向布置。阶梯式竖向布置的重点是台阶的划分,同一功能的区域应在同一台阶或相邻台阶上。台阶的高度宜为1m~4m,竖向设计尚应符合现行国家标准《工业企业总平面设计规范》GB 50187的规定。

4.3.4 厂区内地面标高的设计应结合厂外道路标高、50年一遇的洪水位标高等因素综合考虑确定。设计原则是厂区入口的路面标高宜大于厂外路面标高,厂区地面标高宜高出洪水位标高等。但在实际工程中有时很难做到,若达到上述要求,则土石方工程量大、工程投资大。所以在实际工程中,需综合协调竖向设计。厂区地面标高设计也可低于厂外路面标高,此时应在厂区入口处设反坡,以阻止厂外道路雨水流入厂区,同时使厂区路面雨水顺畅流入地下雨水管网,保证雨水管网与厂外市政雨水管道有效衔接。采取以上措施既减少了土石方工程量,节约了投资,也能保证厂区雨水的顺利排放。

4.4 厂区管线

4.4.1 厂区管线敷设形式有多种,如直埋、管沟、架空等,但采用哪种形式需结合厂区地形、自然条件、生产工艺、交通运输、绿化、检修等特点,因地制宜,经济合理,择优确定管线敷设方式。

4.4.2 管线带与道路和建(构)筑物平行布置是合理利用土地的有效方式之一,也是布置原则之一。干管布置在与其连接的支管较多处,可减少管线交叉。

4.4.3 地下管线、管沟不能布置在建(构)筑物的基础压力影响范围内,是为了避免管道及管沟受上层负荷的外力而受损。否则,不仅会产生经济损失,影响生产,管内介质外溢又影响上层的基础。

　　道路下方敷设管线的弊端虽与上述类似,但程度略轻。结合实际情况,因用地紧张,亦有不少工程将管线敷设在路面下方,虽有不利之处但其影响尚可接受。最不利之处是发生事故或需检修时,要开挖路面,造成交通不畅。

4.4.4 管线综合布置的顺序和间距以及与建(构)筑物之间的最小水平距离等一系列布置原则,应符合现行国家标准《工业企业总平面设计规范》GB 50187 的有关规定。

4.5 厂区道路

4.5.1～4.5.7 厂区道路宜采用城市型道路。单车道采用单坡路面,双车道采用双坡路面。道路设计应考虑能通行集装箱运输车的道路转弯半径、停车场地、卸货平台等。常用集装箱货柜规格长度为 6.0m 和 12.0m,宽度为 2.4m,高度为 2.5m。

4.6 厂区绿化

4.6.1 厂区绿化应根据工厂特点,与总平面布置、竖向设计和管线综合布置相适应,与周围环境和建(构)筑物相协调,避免相互干扰。绿化布置应遵循有利于安全生产、消防作业和物流运输,减少污染源和噪声危害,美化环境,节约用地,因地制宜,经济合理的原则。

4.7 主要技术经济指标

4.7.1 总平面布置的主要技术经济指标是择优确定总图方案的主要指标之一,也是征地和规划阶段审批的重要内容,应在总图中列出。对建筑系数和绿地率,除按工厂所在地规划部门的规定外,还应满足《工业项目建设用地控制指标》的规定。

5 建 筑

5.1 一般规定

5.1.1 工厂设计应以满足和方便生产为前提,提供可满足工艺设备安装、操作和维护的空间。

5.1.2 针织厂的染整厂房中练漂、染色等工序在生产过程中会散发湿热气体,且含有腐蚀性介质,因此,建筑设计应根据不同地区气候特点,如严寒、寒冷地区、夏热冬暖地区、夏热冬冷地区等,重点解决冬季车间去湿排雾、防结露、防腐蚀、夏季通风降温等问题。

5.2 生产厂房

5.2.1 针织生产包括经编、纬编、染整、成衣、织袜、羊毛衫等,种类较多,各品种生产工艺不同,生产厂房的建筑结构形式应根据工艺特点确定。如编织厂房根据生产工艺特点,不需去湿排雾,可做成无窗厂房,但需要有很好的保温和防结露措施;染整厂房的练漂、染色等工序在生产过程中散发湿热气体,且含有腐蚀性介质,则去湿排雾、防结露、防腐蚀成为了主要问题,在选择厂房时就要考虑排气功能。另外选择有组织排气的先进设备也能减少车间的雾气。近年来,随着国民经济的飞速发展,生产厂房的建筑形式也发生了很大的变化,要求厂房跨度大,设备布置灵活。为节约利用土地,国家也提高了工厂用地的容积率,在可能的情况下,尽量建多层厂房。但无论采用何种形式的厂房,都应根据生产工艺特点,结合当地气象、地质等条件综合考虑并选用。

5.2.4 针织工厂的染整厂房与印染工厂类同,本规范引用了现行国家标准《印染工厂设计规范》GB 50426 的有关条文,其相应的条文说明适应本规范,不再重复。成衣、织袜、羊毛衫厂房因设备一般不大,可根据车间的大小,厂房的净高能使人感觉舒适即可。

5.3 建筑防火、防腐

5.3.1 生产厂房的耐火等级不应低于二级。本条引自现行国家标准《纺织工程设计防火规范》GB 50565—2010 第 6.2.1 条,其条文说明适用于本规范该条文。

5.3.2 拉毛、磨毛、剪毛车间生产过程中会产生粉尘,经管道收集至滤尘机组。因棉尘有一定的燃烧危险,故应靠外墙布置,以利于火灾的控制。

5.3.3 关于火灾危险性分类、防火分区及安全疏散等其他防火设计标准应遵循现行国家标准《建筑设计防火规范》GB 50016 的第 3.1 节、第 3.2 节和第 3.7 节及《纺织工程设计防火规范》GB 50565 的第 3 章、第 6.2 节、第 6.3 节和第 6.5 节的有关规定。

5.3.4 生产车间的防腐蚀设计主要针对染整厂房。染整厂房的防腐蚀设计与印染厂类同,故本条引用了现行国家标准《印染工厂设计规范》GB 50426 的第 5.2.4 条,其相应的条文说明也适用于本规范。

5.4 生产辅助用房

5.4.2 碱回收站有较强的腐蚀性介质作用,故若建在车间附房内时,需做好防腐处理。

5.4.3 染化料调配室有由各种化学品配制的溶液、染液、浆液等,调配过程中会散发有害气体及液体沾污墙面、地面,因此,应对这些部位采取通风排气及防腐蚀措施。

5.5 主要建筑构造

5.5.1~5.5.5 本部分内容主要是针对染整厂房的去湿排雾、防结露、防腐蚀、采光等问题采取的一些建筑构造措施。染整厂房与印染工厂类同,本规范引用了现行国家标准《印染工厂设计规范》GB 50426 的第 5.5.1 条、第 5.5.2 条、第 5.5.3 条、第 5.5.5 条和第 5.5.6 条的部分内容。

6 结 构

6.1 一 般 规 定

6.1.1 针织工厂的结构设计首先应满足生产工艺的需要，并考虑建厂地区的具体条件，同时要符合国家现行有关标准、规范、规程的要求。

6.1.2 单层钢筋混凝土锯齿形结构节点施工复杂，质量不宜控制，目前也较少采用，建议仅用于抗震设防烈度为7度和7度以下地区。

6.2 结构布置及选型

6.2.3 随着现代纺织设备的更新换代，针织厂房结构越来越多地采用大跨度厂房，单层轻钢门式刚架结构跨度大，构件可在钢结构厂加工，现场安装，具有施工简单、建设进度较快等优点，故本条提出可优先采用该结构型式。

单层钢筋混凝土锯齿形结构厂房自重大、结构体系复杂、节点施工不宜控制、不利于节能。但由于其采光均匀，空调和排水较方便，一些中、小型针织厂仍有采用，本规范仍保留。

6.2.4 针织厂的染整车间在生产过程中会产生大量湿热雾气，很容易在屋顶及墙面形成滴水，因此在结构选型时应选用带排气功能的结构形式，以利湿热气体排出。

6.2.5 湿度较小的厂房可优先采用轻刚架结构，其次为钢筋混凝土结构。

6.2.6、6.2.7 这两条强调在平面布置时，不同材质的结构体系应设缝，以利于结构受力。

6.3 设 计 荷 载

6.3.1 建筑结构楼屋面各种活荷载均应符合现行国家标准《建筑结构荷载规范》GB 50009 的有关规定。

6.3.2～6.3.4 多层厂房设计时要充分重视设备荷载的分布。轻型房屋屋面还应考虑施工、检修时可能出现在最不利位置上人和工具自重形成的集中荷载。

6.3.5 悬挂荷载除吊挂风道荷载外,还应考虑工艺、水、暖、电、通风、空调等系统悬挂于结构的管道和设备上的荷载。

6.3.6、6.3.7 风道底板及沟道盖板活荷载除执行现行国家标准《建筑结构荷载规范》GB 50009 的相关规定外,还应满足工艺及实际操作或堆放荷载的要求。

6.4 结 构 计 算

6.4.1 一般框(排)架结构的结构分析,国内有多种成熟的计算软件可选用,均可采用计算机进行分析计算。

6.4.2 该结构体系属跨变结构,采用手工计算非常繁杂,精度也不高,在目前计算机使用极其普遍的情况下宜采用电算。由于该体系属装配式结构,中柱配筋一般由施工吊装阶段控制(吊装跨安装完毕,相邻跨仅安装风道大梁及风道顶板),应进行施工吊装验算。

6.5 抗震构造设计要求

6.5.1、6.5.2 轻钢结构及钢筋混凝土结构的施工技术目前已很成熟,国家以及地方施工标准构造图集均可选用,本节主要强调各种结构型式需满足相应的国家或地方规范及规程中的有关构造要求。

6.5.3 主厂房的附房优先采用钢筋混凝土结构,当采用其他结构体系时,应满足相应的规范要求。

6.6 抗震构造措施

6.6.1、6.6.2 厂房维护结构采用轻型材料可减轻结构自重、降低地震灾害程度。

6.6.3 锯齿形排架结构厂房主要节点构造在现行国家标准《印染工厂设计规范》GB 50426 中有较全面的描述，可按该规范要求执行。

6.7 地基基础

6.7.3 设备基础应采取合理的形式和有效措施，防止产生过大的相对沉降差影响生产。

6.7.4 当地下沟道埋置深度大于建筑基础且两者之间的净距不能满足要求时，应采取合理的施工顺序和可靠的围护措施。

7 给水排水

7.1 一般规定

7.1.2 为了达到综合利用水资源的目的,规范规定有多种水源可利用的地区,给水工程设计应在可能和经济合理的条件下,采取分水质给水方案,结合工艺上考虑分质梯级清洁废水回用,提高水的综合利用率。

7.1.3 本条为防止给水排水管道故障引发重大安全和生产事故。

7.1.5 水资源缺乏地区,应考虑中水回用和雨水收集利用措施。雨水收集后可用于景观绿化用水或路面、停车场冲洗用水。

7.1.6 我国西北大部、华北的一部分地区存在大面积的湿陷性黄土地质分布。为使得本规范具有广泛的适用性,特别将此要求列入规范。

7.3 用水量、水压和水质

7.3.1 工艺用水量由于工艺设备的选择会有比较大的区别,计算时可依据各工艺设备的用水量累加后得到总量。

7.4 给水系统和管道布置

7.4.2 给水管网敷设应符合下列规定:

1 根据现行国家标准《建筑设计防火规范》GB 50016 的规定,室外消防给水管网应呈环状布置,但室外消防用水量小于或等于 15L/s 时,可布置成枝状。针织工厂的室外消防用水量一般都大于 15L/s,厂区给水和消防给水合并管网设置时,应呈环状布置。

2 一般单独布置的生产、生活、空调和冷却水配水管网,只要不与消防水管网合并,可以采用枝状布置。

7.4.4 住建部已发文件规定生活给水管网禁止使用镀锌钢管,因此,规范推荐使用塑料管,有条件的项目室内给水管道可采用铜管或薄壁不锈钢管。

7.5 消防给水和灭火设施

7.5.2 为了保证消防用水量,根据防火规范的规定,应采取消防用水量不被挪用的措施。

7.6 排水系统和管道布置

7.6.1 工厂的排水系统应按"清污分流、分别排放"的原则进行设置。一般可分为生产、生活污水排水系统,清洁废水排水系统和雨水排水系统,可以在生产工艺中设计成分质梯级废水回用。最终排出的清洁废水宜收集,经处理后作其他杂用水使用,以节约用水。

7.6.3 室外埋地管应根据当地的建材供应情况选用。由于塑料管重量轻、运输方便、不渗漏、施工简便,越来越受到欢迎,在有条件的地方优先采用。埋地塑料管种类有实壁管、加筋管、双壁波纹管、缠绕管等,其环刚度应符合行业标准中埋地管的要求。

  1 一般多层工业与民用建筑室内排水管均应使用塑料管,但一些特殊建筑如浴室等,排水管可用柔性铸铁排水管。

7.7 废水处理与回用

7.7.1 为节约水资源,空压机、制冷机的冷却水同样应循环使用,不应随意排放,以节约资源和减少对环境的污染。

7.7.2 针织工厂中的印染部分污水污染物含量较高且色度较大,一般应排入污水站进行处理。

7.7.4 本条为强制性条文。主要为杜绝再生水污染生活饮用水。

8 供暖通风与空调除尘

8.1 一般规定

8.1.3 室外空气计算参数是供暖、通风与空调设计的基础数据,现行国家标准《工业建筑供暖通风与空气调节设计规范》GB 50019 附录 A 中提供了我国除香港、澳门特别行政区、台湾省外主要城市的室外空气计算参数,对于表中未列出的城市可选取表中地理位置接近、气候特征相似的城市的室外空气计算参数,或根据项目所在地气象部门提供的数据,按现行国家标准《工业建筑供暖通风与空气调节设计规范》GB 50019 中的有关规定经计算确定。

在现行国家标准《工业建筑供暖通风与空气调节设计规范》GB 50019 颁布前,各地在编制节能设计标准时也整理了当地的室外空气计算参数,由于与现行国家标准《工业建筑供暖通风与空气调节设计规范》GB 50019 采用的基础数据统计年限不同,导致室外空气计算参数出现不一致的情况,为了统一标准,应明确采用现行国家标准《工业建筑供暖通风与空气调节设计规范》GB 50019 中提供的数据和方法。

8.2 供 暖

8.2.1 工艺设备散热量按同时使用系数 0.9 和平均生产负荷率 0.8 计算,因此,规定冬季计算设备散热量按不低于生产负荷的 70% 计算。

8.2.3 在锅炉房和热力站的供暖总管上设置计量总供热量的热量表,是为了对全厂的供暖用热情况做出计量分析。厂区内各建筑物供暖系统入口处设置的热量表需满足各成本核算单位分摊供暖费用的要求。

当一栋建筑中有多个车间时,考虑到为生产运营过程加强能源管理创造条件,各车间宜分别设置热量表。

8.4 空 调

8.4.6 成衣车间及羊毛衫车间缝合工序由于对湿度控制要求不严格、回风相对较清洁,因此,可采用柜式风机盘管机组或水(风)冷单元式空调机组,这些机组有立式和吊顶式,可分散布置,相对于集中式的空调室占用面积和空间较小、调节方便。

蒸发冷却空调系统在夏季空调室外设计湿球温度较低的地区具有良好的节能效果。

8.4.8 成衣车间及羊毛衫车间缝合工序由于人员密集,新风需求量大,参照现行国家标准《公共建筑节能设计标准》GB 50189 的要求推荐设置排风热回收装置,工程实践表明采用排风热回收装置有明显的节能效果。

8.5 除 尘

8.5.6 编织工序在生产棉制品时飞花较多,会影响产品质量和车间环境,因此宜设置飞花吸除装置。

9 电　气

9.1 一般规定

9.1.1 针织工厂供配电系统首先应满足生产工艺的要求。在设计方案选择时,除了考虑安全性、先进性、经济性、适用性,还应考虑远近期结合,为今后发展留有扩建余地。在电气设备选择时,应采用符合国家或行业现行标准的效率高、能耗低、性能优良、符合环保要求的成套设备和定型产品。

9.1.2 用电准确计量用于考核用电设备技术经济指标,作为企业节能管理的依据,利于企业实现节能减排。

9.2 供配电系统

9.2.1 一般情况下,针织工厂的工艺设备断电不会危及人身安全或造成经济上的重大损失,因此可认为属于三级负荷。根据现行国家标准《建筑设计防火规范》GB 50016—2014 第10.1.2条的规定,室外消防用水量大于30L/s 的工厂、仓库,室外消防用水量大于35L/s 的可燃材料堆场,消防用电按照二级负荷供电。某些针织工厂规模较小,按照用水量标准确定其消防负荷达不到二级负荷标准,但如果该厂房建筑物设置了排烟风机、防火卷帘、消防泵、火灾报警系统等消防设施,其供电宜采用双电源。

9.2.3 针织工厂负荷计算的需要系数与设备的工作性质、设备台数、设备效率、负荷系数及管理使用等因素相关。要想得到较准确的数据,需要现场测试并结合运行经验才能确定。而且设备的需要系数、功率因数随着设备的更新换代和制造水平的提高在不断变化,现阶段不能提供完整确切的需要系数表,因此只能在条文说明中给出参考数据,如下表。

表1 针织工厂主要设备需要系数表

设备名称	需要系数 K_d	功率因数 $\cos\Phi$
编织设备	0.7~0.8	0.7~0.8
染整设备	0.65~0.7	0.7~0.8
热定型设备	0.75~0.8	0.85~0.9
成衣设备	0.7~0.8	0.7~0.8
辅助设备	0.4	0.75

针织工厂多为中小型独立设备,很少有大型设备连续生产,设备同台率较低,因此,变配电所同时系数可取0.85~0.9。

一般针织工厂,消防负荷小于火灾时切除的非消防负荷,负荷计算时不应计入。若消防负荷平时兼作他用,如消防排烟风机平时兼作通风换气,或者火灾时需要切除的非消防负荷小于消防负荷,负荷计算还应根据实际情况计入这部分负荷。变压器的容量应满足消防负荷投入使用时的启动要求。

9.2.5 本条对车间配电室供配电系统进行规定。

3 相邻车间变配电室设置低压联络线路,以便于全厂停电检修时为车间提供检修电源及车间值班照明。联络电源线路断路器的两侧均应设置可同时切断相导体和中性导体的隔离电器。

4 变压器单台容量不宜大于1250kV·A主要适用于针织生产车间。一般针织设备单台负荷小而机台位置分散,若变压器选择过大,会造成供电半径过长,不利于节能降耗。当用电设备容量较大,技术经济合理,运行安全可靠时应选择更大容量的变压器。

9.2.6 一般来说,针织工厂爆炸危险环境较少,但也可能存在。如在使用可燃气体加热烘干或烧毛的场所,车间附房可能存在天然气调压间,拉毛、磨毛等车间内存在数量较多的纤维粉尘,设计时应参照相关规范。

9.2.7 成衣、拉毛等车间及可燃物品库房一旦引起火灾难以疏散和扑救,而电气火灾多由线路短路、接地电弧、接头发热等原因引起局部温度升高所致。将电气线路穿金属管敷设或使用封闭式金属线槽敷设可将电火花控制在管路内,更好地与可燃物隔开,从而减小火灾危险性。

9.3 照 明

9.3.1 厂房内的灯具、光源选型应根据视觉作业要求、生产环境条件、建筑物状况等确定。编织、成衣等车间一般吊顶底高度不大于4.5m,因此适合选用开敞式控照型荧光灯具。随着技术的进步,某些新型光源,如LED光源光效显著提高,价格大幅下降,性价比提升,已应用于工程实践。

在调研中发现,某些设备(如编织机、验布机及一些后整理设备)自带照明,因此车间照明设计时仅考虑一般照明照度要求。

可燃物品库房内灯具应确保灯具表面温度不可能引燃所储存货物,防护等级不低于IP4X。选用光源大于60W时,灯具引入线应采取瓷管、玻璃丝等不燃烧材料进行隔热保护。库房照明的配电箱宜设置在库房外。

成衣车间组合灯带主要指缝纫机上方、整理台上方局部照明,灯带设可单灯控制的灯具,也可设置插座,设计时注意其防护等级不应小于IP4X,并采用剩余电流整定值为30mA的RCD保护。

9.3.3 条文中所列车间属于气体放电灯的频闪效应对视觉作业有较大影响的场所,当采用荧光灯具时可采用高频电子镇流器或将相邻灯具分接在不同相序。

9.3.5 本规范所列生产车间照度标准是参照了现行国家标准《针织工业企业工艺设计技术规范》FZJ 122与《建筑照明设计标准》GB 50034的规定并结合相关企业调研后确定的,实际设计时误差不应大于10%。

9.3.6 生产厂房设应急照明应结合厂房中设备布置情况和消防

疏散通道布置。在消防值班室、消防控制室、变配电室、防排烟机房等火灾时需继续工作场所设备用照明;在车间通道、安全出口、楼梯间设疏散照明,设计时注意高大设备或管道对灯光的遮挡,保证人员可以及时疏散;在疏散通道、安全出口设灯光疏散指示标志。

9.3.7 车间内设值班照明,在停产检修或假日时供值班人员巡检使用。值班照明可利用火灾应急灯具,也可利用部分一般照明灯具。

9.4 防雷与接地

9.4.1~9.4.3 通常情况下,针织车间没有大面积爆炸的危险环境,利用建筑物钢筋或钢结构作为防雷装置是安全可靠并且简便易行的做法。但为了防止闪电感应,烧毛间、油锅炉及粉尘爆炸危险场所处应采取附加措施。

9.4.6 车间内使用煤气、天然气或其他可燃气体的场所,使用汽油、甲苯等爆炸性气体的场所,油漆喷涂场所,除尘管道等处静电积聚会引起危险,因此应采取防静电措施。

9.5 火灾自动报警

9.5.1 本条为强制性条文。条文中所列场所一旦引起火灾,难以疏散和扑救。因此,根据现行国家标准《建筑设计防火规范》GB 50016及《纺织工程设计防火规范》GB 50565,条文中强调了针织工厂中应设置火灾自动报警系统的部位。

9.5.3、9.5.4 针织工厂生产环境多样,大部分属于丙类生产环境,但又各有特点。各个工作区域应选择适宜类型的探测器、报警器。

烘干、电加热等部位正常情况下可能会有蒸汽产生,因此宜选择感温探测器。可燃物品库房、丙类生产车间若面积较大而且中间无遮挡,可选择红外光束感烟探测器、光截面探测器等。

根据现行国家标准《纺织工业企业职业安全卫生设计规范》GB 50477,染整等湿加工车间属于丁类车间,火灾危险性小,一般可不设置火灾探测器而仅设置手动报警按钮及声光报警器。

10 动　力

10.1 一般规定

10.1.1 针织工厂动力设计应包括供热、供冷、燃料及压缩空气供应等公用工程站房、设备和管道的设计。

针织工厂热负荷包括生产工艺、空调、采暖和生活用热。生产工艺、生活用热属于全年性热负荷，主要决定于用热设备的数量、使用状况、工作制度等因素以及使用人数，空调、供暖用热属于季节性热负荷，随室外气象条件的变化而变化，应结合企业的实际情况确定供热方案。

10.1.2 本条是对供热热源的规定。热力用户所需热负荷的供应根据当地的供热规划确定。应优先考虑利用城市（区）热电厂、区域锅炉房或其他企业的锅炉房协作供应，在不具备上述条件时，才应考虑自设锅炉房。

10.2 蒸汽供热系统

10.2.1 本条规定了针织厂热负荷计算原则。

10.2.2 本条是使用区域热电厂集中供热时的规定。

热电厂热网供热参数一般为 1.0MPa、280℃～290℃，需减压减温至 0.7MPa、170℃～180℃才能符合针织工厂生产、生活用汽要求。

为确保针织工厂供热安全，在有条件时，减压减温装置应有 1 套备用。

10.2.4 为便于各车间成本考核和生产控制，宜采用单独敷设干管的布置方式。

10.3 蒸汽凝结水回收和利用

10.3.1 烘干工序中蒸汽与烘筒直接接触，可能造成污染，不宜回收。

10.4 导热油供热系统

10.4.1 针织工厂在热定型、焙烘等工序要使用280℃以上的高温热源，目前大部分工厂采用以导热油为热载体的加热炉，出油温度为280℃，回油温度为260℃，也有部分工厂利用城市煤气、液化石油气、汽油、电能等方式产生高温热源满足生产工艺对高温热源的要求。

10.4.2 本条是油热载体加热炉房的布置要求。在设置热载体加热炉房布置调研中，对自建锅炉房的企业，一般和蒸汽锅炉共建锅炉房，也有在车间附房内设置以柴油或天然气为燃料的热载体加热炉房。但总的布置应力求靠近热负荷中心，布置上应符合国家卫生标准、防火规定及安全规程中的有关要求。

10.4.3 本条是导热油供热系统设计要求。多年来的运行实践证明，导热油在高温状态下长期使用，由于热裂解及氧化等原因，如设计和使用不当，其物化性能及技术指标必然迅速发生变化，当导热油下列四项指标达到一定数值时，应予以报废。

(1)酸值(mg KOH/g)达到0.5mg时(按现行国家标准《石油产品酸值测定法》GB 264中的方法测定)；

(2)黏度变化达15％时(按现行国家标准《石油产品运动粘度测定法和动力粘度计算法》GB/T 265中的方法测定)；

(3)闪点变化达20％以上时(按现行国家标准《石油产品闪点与燃点测定法》GB/T 267中的方法测定)；

(4)残炭达到1.5时〔按现行国家标准《石油产品残炭测定法(康氏法)》GB 268中的方法测定〕。

因此，在设计中应根据生产工艺要求选用性能指标适用的导热油,设计合理的导热油供热系统,防止导热油超温运行及氧化,对延长导热油使用寿命,保障安全生产,节省费用均有积极意义。

10.5 燃 气

10.5.1 本条是针织工厂使用燃气应遵循的规定。针织工厂烧毛等工序使用煤气、天然气时,在设计时应按现行国家标准《城镇燃气设计规范》GB 50028 及《工业企业煤气安全规程》GB 6222 的有关规定进行。

10.7 制 冷

10.7.4 地埋管系统的全年总释热量和总吸热量平衡是确保土壤全年热平衡的关键要求。由于一些地埋管地源热泵生产厂家的片面宣传,一些用户把地埋管地源热泵机组用作冷水机组,将引起土壤温度的升高,导致制冷效果的明显下降。

11 仓 储

11.1 一般规定

11.1.1 针织工厂仓库的种类和面积的大小取决于物资的种类、存储量和储存周期,储存周期又因工厂所处的地域不同、对各类物资的需求不同及物资的供应情况不同而存在一定差异。本规范中所列举的仓库种类可根据企业的生产情况调整,所规定的存储周期为一般采用的存储周期,在工厂设计时如没有特殊要求,宜采用此存储周期和计算方法确定仓库面积。

11.2 原料库、半成品库、成品库

11.2.1 原料储存周期一般不少于30d,但根据产品品种、原料市场的供应情况、生产计划的安排等因素,可灵活掌握,以保证生产的正常进行为原则。

11.2.2 全能针织厂生产流程长、中间产品多,需设置不同的库房分别存放。净坯布在投入裁剪工序之前,应存放24h,以保证尺寸的稳定性。

11.2.3 成品储存周期一般可按15d～30d确定,也可根据生产管理体制及市场的情况变化。

12 职业卫生

12.0.1 针织工厂在生产、运输和设备维修过程中存在着危险因素和有害因素。所谓危险因素是指对人造成伤亡或对物造成突发性损坏的因素,如火灾、爆炸、雷击、触电、中毒、窒息和机械性伤害等。所谓有害因素是指能影响人的身心健康、导致疾病(含职业病)或对物造成慢性损坏的因素,如有毒有害物质、高温高湿、噪声、辐射和不良的采光、照明等。针织工厂设计时应针对具体的针织厂进行危害因素的充分调查、分析,并应采取有关专业相应的治理和防范措施。这类措施也要进行设计,并应遵循"技术先进、经济合理、安全适用"的原则,应进行多种方案的优化。按现行国家标准《职业安全卫生标准编写规则》GB/T 18841 的规定,根据实际情况,按下列原则采取措施:

(1)消除——通过在设计上采取适当的措施,尽可能从根本上消除危险因素和有害因素;

(2)预防——当消除危害源有困难时,可采取预防性技术措施;

(3)减弱——在无法消除危害源和难以预防的情况下,可采取减少危害的措施;

(4)隔离——在无法消除、预防、减弱的情况下,应将人员与危害因素隔开;

(5)连锁——当操作者失误或设备运行一旦达到危险状态时,通过连锁装置终止危险或有害运行;

(6)警告——易发生故障或危险性较大的工作场所,配备醒目的识别标志,必要时,采用声、光或声光结合的报警装置。

12.0.2 选用或设计滤尘装置时,应注意滤尘过程中产生的打击火花和静电积累等现象可能会引起的纤杂燃烧情况的发生。因此,滤尘装置应有纤杂压实和连续排尘等设施。

12.0.3 熔铅炉产生的铅烟对人体有害,现行国家职业卫生标准《工作场所有害因素职业接触限值 第1部分:化学有害因素》GBZ 2.1中规定,空气中铅烟的时间加权平均容许浓度为$0.03mg/m^3$。